100 Soupes

pour tous les goûts

100 Soupes

pour tous les goûts

Linda Doeser

PaRragon

Bath · New York · Singapore · Hong Kong · Cologne · Delhi · Melbourne

Copyright © Parragon Books Ltd
Queen Street House
4 Queen Street
Bath, BA1 1HE
Royaume-Uni

Photographies : Mike Cooper
Recettes : Linda Doeser
Design : Simon Levy
Conseiller : Lincoln Jefferson

Copyright © Parragon Books Ltd 2010
pour l'édition française

Réalisation : InTexte, Toulouse

ISBN : 978-1-4075-7431-8

Imprimé en Chine
Printed in China

NOTE AUX LECTEURS
Une cuillerée à soupe correspond à 15 à 20 g d'ingrédients secs
et à 15 ml d'ingrédients liquides. Une cuillerée à café correspond
à 3 à 5 g d'ingrédients secs et à 5 ml d'ingrédients liquides.
Sans autre précision, le lait est entier, les œufs sont de taille
moyenne et le poivre est du poivre noir fraîchement moulu.
Les temps de préparation et de cuisson des recettes pouvant
varier en fonction, notamment, du four utilisé, ils sont donnés
à titre indicatif.
La consommation des œufs crus ou peu cuits n'est pas
recommandée aux enfants, aux personnes âgées, malades
ou convalescentes et aux femmes enceintes.

Sommaire

Introduction

Le jour où, pour la première fois, un homme préhistorique a eu l'idée de mettre des racines et des aromates dans un pot rempli d'eau et de faire chauffer le tout sur le feu constitue un grand moment dans le développement de notre civilisation et de notre histoire culinaire. Bien que nos méthodes de cuisson actuelles soient quelque peu moins primitives et que les ingrédients se révèlent plus sophistiqués et variés, la soupe reste un des plats les plus simples à préparer et pourtant l'un des plus savoureux, nourrissants, adaptables, digestes et réconfortants.

Les soupes peuvent être chaudes ou froides. Elles font office d'entrée ou de plat principal, et sont rassasiantes et rustiques, élégantes et subtiles, épaisses et crémeuses, ou encore délicates et fluides. Les soupes se composent de tous les ingrédients imaginables, depuis la viande jusqu'aux légumes, en passant par les fruits, le fromage et les œufs. Toutes les cuisines du monde peuvent s'enorgueillir d'une recette de soupe – voire de plusieurs – composée d'ingrédients locaux et selon les us et coutumes.

Les cent recettes proposées dans cet ouvrage célèbrent l'adaptabilité infinie des soupes. Quels que soient vos goûts et quelle que soit l'occasion, vous serez sûr de trouver ici la recette qui répondra à vos attentes. Si vous souhaitez préparer

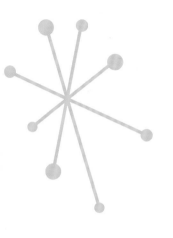

une entrée pour un repas de fête, essayez les recettes du chapitre « Raffinées ». En plein été, pensez aux soupes du chapitre « Froides ». Le chapitre « Nourrissantes », quant à lui, offre une profusion d'idées pour préparer des repas familiaux économiques, tandis que le chapitre « Savoureuses » propose des recettes idéales pour se réchauffer l'hiver et se remettre d'aplomb après un gros rhume. Si vous aimez découvrir les cuisines du monde, n'oubliez pas les soupes du chapitre « Traditionnelles » qui vont de la simplissime soupe grecque aux œufs et aux citrons, à la soupe aigre aux oignons iranienne, en passant par le *tom yam goong* thaïlandais et la soupe de pois cassés au lard si *british*. Les recettes de cet ouvrage sont simples à réaliser, et beaucoup d'entre elles sont étonnamment rapides à préparer. Enfin, vous découvrirez que toutes les recettes emploient le même bouillon de légumes de base (*voir* page 10).

Préparer et adapter le bouillon

Évidemment, n'importe quelle soupe peut être préparée à base d'eau. Toutefois, en règle générale, la saveur du plat sera enrichie par l'emploi d'un bouillon de bonne qualité, qui apportera également des éléments nutritifs et rendra le résultat final plus appétissant. Le bouillon se prépare avec différents ingrédients. Les cuisiniers professionnels, notamment, ont toujours des bouillons de poulet, de bœuf, de poisson et de légumes à portée de main. Malheureusement, même le plus enthousiaste des cuisiniers amateurs ne pourrait faire rentrer une telle variété de bouillons dans son congélateur.

C'est le bouillon de légumes qui a été choisi comme base pour toutes les soupes de cet ouvrage, et ce pour plusieurs raisons.

Il est plutôt inhabituel pour une soupe de ne pas inclure quelques légumes, qu'elle contienne du bœuf, du poulet, du poisson, des champignons ou encore des saucisses. Ainsi, un bouillon de légumes se mariera avec n'importe quelle soupe. En outre, ce bouillon est toujours très apprécié comme plat à part entière. Bien que savoureux, il ne masque jamais le goût des ingrédients qui l'accompagnent. Notons également qu'il convient aux amateurs de viande comme aux végétariens. Enfin, le bouillon de légumes est plus simple, plus économique et plus rapide à préparer que tout autre type de bouillon.

La recette de base décrite page 10 est un bouillon léger – en couleur, non en saveur – et convient à toutes les recettes de cet ouvrage (et à bien d'autres). Les ingrédients sont courants et bon marché, mais vous pouvez les remplacer par vos légumes préférés ou ceux que vous avez sous la main. Tous les membres de la famille de l'oignon peuvent être utilisés, en plus de ceux qui sont suggérés. Les champignons frais ou déshydratés ajouteront une saveur prisée par certains, tandis que d'autres préféreront le goût sucré du maïs. Toutefois, quelques légumes doivent être employés avec précaution. Les membres de la famille du chou, notamment, dont les choux de Bruxelles, ont une saveur très puissante qui masquerait celle des autres ingrédients. De même, le goût anisé du fenouil ne sera adapté qu'aux soupes à base de poissons et de fruits de mer.

Les restes de légumes cuits n'ont ni la saveur ni les propriétés nutritives des légumes crus pour préparer un bon bouillon, mais vous pourrez toujours utiliser les épluchures de certains. Une fois encore, méfiez-vous des légumes de la famille du chou et évitez les pelures d'oignons, qui rendraient le bouillon amer ; en revanche, les feuilles coriaces de laitues, du brocoli et du chou-fleur, les pieds de champignons, les côtes de bettes ou d'épinards, et la partie ligneuse des asperges et des haricots verts ajouteront tous

de la saveur – le tout à moindre coût. Parfois, l'eau de cuisson des légumes peut remplacer l'eau claire dans certaines recettes – l'eau de cuisson des asperges, du brocoli, du chou-fleur, des bettes, du maïs et des haricots verts, par exemple.

La recette de base peut être adaptée pour préparer un bouillon plus riche en saveur et en couleur qui convient parfaitement aux soupes à base de viande. Remplacez la pomme de terre, le panais et le navet par 2 ou 3 grosses tomates. Faites cuire l'oignon, le céleri, les poireaux et les carottes 30 minutes à feu très doux en remuant de temps en temps, jusqu'à ce qu'ils soient bien dorés. Passez les tomates coupées en deux au gril jusqu'à ce qu'elles soient également dorées. Ajoutez les tomates à l'étape 2 avec les herbes.

Quels que soient les légumes que vous utilisez et la façon dont vous les faites cuire, il est plus sage de ne pas saler en cours de cuisson. En se concentrant, le bouillon deviendrait trop salé. Ne salez donc qu'au moment de préparer votre soupe, jamais avant. Cela s'applique également aux épices.

Le bouillon se conservant jusqu'à 3 mois au congélateur, il est intéressant d'en préparer une grande quantité d'un seul coup. Pensez à le congeler en plusieurs portions – des portions de 500 ml par exemple – de sorte que vous puissiez les prélever facilement de votre congélateur, sans avoir à décongeler le tout pour obtenir la quantité souhaitée.

Alors que la température chute durant les longs mois d'hiver, une soupe peut apporter chaleur et réconfort en un clin d'œil. Que vous receviez vos amis, prépariez un repas familial ou sustentiez des visiteurs imprévus, la soupe ne déçoit jamais – votre seul et unique problème sera de choisir parmi les cent soupes proposées ici !

Bouillon de légumes de base

Voici le bouillon qui entre dans la composition des 100 recettes de soupes proposées ici. Dans les listes d'ingrédients, le bouillon est repéré par une étoile (✳). Vous n'aurez ainsi plus qu'à suivre chaque fois les étapes indiquées ci-dessous pour préparer des soupes toutes aussi bonnes les unes que les autres.

Pour 950 ml

✳ 2 cuil. à soupe d'huile de tournesol
✳ 1 oignon, finement haché
✳ 2 poireaux, finement émincés
✳ 2 branches de céleri, hachées
✳ 1 grosse pomme de terre, en dés
✳ 2 carottes, finement émincées

✳ 2 petits panais, finement émincés
✳ 1 petit navet, finement émincé
✳ 2 feuilles de laurier
✳ 6 brins de persil frais
✳ 155 ml de vin blanc sec
✳ 950 ml d'eau

1. Chauffer l'huile dans une grande casserole. Ajouter l'oignon, les poireaux, le céleri et la pomme de terre, et cuire 8 minutes à feu doux en remuant souvent, jusqu'à ce que les légumes soient tendres et se colorent légèrement.

2. Ajouter les carottes, les panais, le navet, les feuilles de laurier, les brins de persil et le vin blanc, bien mélanger et cuire 2 minutes, jusqu'à ce que le vin se soit évaporé. Verser l'eau et porter à ébullition à feu moyen. Réduire le feu, couvrir et laisser mijoter 1 heure.

3. Retirer la casserole du feu et filtrer le bouillon dans un bol à l'aide d'un chinois en pressant les légumes avec le dos d'une louche de façon à en extraire le plus de liquide possible et sans les faire passer au travers du chinois. Filtrer de nouveau et laisser refroidir complètement. Couvrir de film alimentaire et conserver jusqu'à 2 jours au réfrigérateur ou jusqu'à 3 mois au congélateur.

Nourrissantes

Soupe de tomates estivale

① Chauffer l'huile dans une grande casserole à fond épais, ajouter l'oignon, les oignons verts, l'ail et le céleri, et cuire 5 minutes à feu doux en remuant de temps en temps, jusqu'à ce qu'ils soient tendres. Ajouter les tomates, couvrir et laisser mijoter 50 minutes en remuant de temps à autre, jusqu'à épaississement.

② Retirer la casserole du feu et laisser tiédir. Transférer la préparation dans un robot de cuisine et réduire en purée homogène. Passer la purée au chinois et la verser dans une casserole propre.

③ Ajouter le bouillon de légumes et porter à ébullition sans cesser de remuer. Saler et poivrer à volonté, ajouter le piment de Cayenne et les pâtes, et porter à ébullition. Laisser bouillir 8 à 10 minutes à feu moyen, jusqu'à ce que les pâtes soient *al dente*.

④ Pour la garniture, faire fondre le beurre dans une petite poêle, ajouter les brins de persil et faire frire quelques secondes, puis retourner et faire frire encore quelques secondes. Égoutter le persil sur du papier absorbant et laisser refroidir.

⑤ Rectifier l'assaisonnement de la soupe, la répartir dans des bols chauds et la garnir de persil frit. Servir immédiatement.

Pour 6 personnes

3 cuil. à soupe d'huile d'olive

1 gros oignon, finement haché

4 oignons verts, finement hachés

3 gousses d'ail, finement hachées

2 branches de céleri, hachées

800 g de tomates, pelées et hachées

✳ 700 ml de bouillon de légumes de base

1 pincée de piment de Cayenne

75 g de stellette ou d'autres pâtes à soupe

sel et poivre

Garniture
6 cuil. à soupe de beurre doux

12 brins de persil plat frais

Soupe de tomates aux haricots blancs

1. Chauffer l'huile d'olive dans une casserole, ajouter les oignons, le céleri, le poivron et l'ail, et cuire 5 minutes à feu doux en remuant de temps en temps, jusqu'à ce que le tout soit tendre.

2. Ajouter les tomates et cuire encore 5 minutes à feu moyen en remuant de temps en temps, puis mouiller avec le bouillon de légumes. Incorporer le concentré de tomate, le sucre et le paprika doux, puis saler et poivrer à volonté. Porter à ébullition, réduire le feu et laisser mijoter 15 minutes.

3. Pendant ce temps, réduire le beurre et la farine en une pâte homogène à l'aide d'une fourchette. Incorporer la pâte progressivement à la soupe. Veiller à ce que chaque morceau de pâte soit bien délayé dans la soupe avant l'ajout suivant.

4. Ajouter les haricots, mélanger et laisser mijoter encore 5 minutes, jusqu'à ce que les haricots soient bien chauds. Parsemer de persil et servir immédiatement.

Pour 6 personnes

3 cuil. à soupe d'huile d'olive

265 g d'oignons rouges hachés

1 branche de céleri avec ses feuilles, hachée

1 poivron rouge, épépiné et haché

2 gousses d'ail, hachées

780 g de tomates olivettes pelées et hachées

1,3 l de bouillon de légumes de base

2 cuil. à soupe de concentré de tomate

1 cuil. à café de sucre

1 cuil. à soupe de paprika doux

1 cuil. à soupe de beurre

1 cuil. à soupe de farine

400 g de haricots cannellini en boîte, égouttés et rincés

sel et poivre

3 cuil. à soupe de persil plat frais haché, en garniture

Soupe de lentilles à l'orge et aux oignons grillés

1. Mettre les grains d'orge dans une grande casserole, ajouter l'eau et porter à ébullition. Réduire le feu, couvrir et laisser mijoter 30 minutes en remuant souvent, jusqu'à ce que tout le liquide soit absorbé.

2. Ajouter le bouillon de légumes, les oignons, les lentilles, le gingembre et le cumin, et porter à ébullition à feu moyen. Réduire le feu, couvrir et laisser mijoter 1 h 30 en remuant de temps en temps, en ajoutant du bouillon si nécessaire.

3. Pour la garniture, étaler les oignons sur une feuille de papier absorbant et les couvrir d'une autre feuille de papier absorbant, puis laisser sécher 30 minutes. Chauffer l'huile dans une poêle, ajouter les oignons et cuire 20 minutes à feu doux en remuant souvent, jusqu'à ce qu'ils aient bruni. Ajouter l'ail et cuire encore 5 minutes sans cesser de remuer. Égoutter les oignons sur du papier absorbant.

4. Saler et poivrer la soupe à volonté, incorporer le jus de citron et la coriandre, et laisser mijoter encore 5 minutes. Servir immédiatement, garni d'oignons grillés.

Pour 6 personnes

2 cuil. à soupe de grains d'orge

160 ml d'eau

1,75 l de bouillon de légumes de base

500 g d'oignons, coupés en fins anneaux

125 g de lentilles du Puy

½ cuil. à café de gingembre en poudre

1 cuil. à café de cumin en poudre

3 cuil. à soupe de jus de citron

2 cuil. à soupe de coriandre fraîche hachée

sel et poivre

Garniture

2 oignons, coupés en deux et finement émincés

5 cuil. à soupe d'huile végétale

2 gousses d'ail, finement hachées

Soupe de légumes verts

① Verser le bouillon dans une casserole et le porter à ébullition. Chauffer l'huile dans une autre casserole, ajouter les poireaux et cuire 5 minutes à feu doux en remuant de temps en temps, jusqu'à ce qu'ils soient tendres. Retirer la casserole du feu.

② Incorporer la farine aux poireaux et mouiller progressivement avec le bouillon chaud. Saler, poivrer et incorporer le thym et les graines de fenouil.

③ Remettre la casserole sur le feu et porter à ébullition sans cesser de remuer. Ajouter la laitue, les épinards, les petits pois, le cresson et la menthe, puis porter de nouveau à ébullition. Laisser bouillir 3 à 4 minutes sans cesser de remuer. Couvrir et laisser mijoter 30 minutes à feu doux.

④ Retirer la soupe du feu et la laisser tiédir, puis la transférer dans un robot de cuisine et la réduire en purée. Rincer la casserole, y reverser la soupe et la réchauffer en remuant de temps en temps. Répartir la soupe dans des bols chauds, la garnir de persil et la servir accompagnée de pain à l'ail et aux fines herbes.

Pour 6 personnes

* 1,7 l de bouillon de légumes de base

3 cuil. à soupe d'huile d'olive

2 poireaux, parties blanches seulement, hachés

2 cuil. à soupe de farine

1 cuil. à café de thym séché

½ cuil. à café de graines de fenouil

1 laitue Iceberg, grossièrement hachée

500 g d'épinards, tiges épaisses retirées

360 g de petits pois frais écossés ou de petits pois surgelés

1 botte de cresson

4 cuil. à soupe de menthe fraîche hachée

sel et poivre

2 cuil. à soupe de persil frais haché, en garniture

pain à l'ail et aux herbes, en accompagnement

Soupe de courge aux pois cassés

1. Chauffer l'huile dans une grande casserole, ajouter l'ail et les oignons, et cuire 5 minutes à feu doux en remuant de temps en temps, jusqu'à ce qu'ils soient tendres. Ajouter le cumin, la cannelle, la noix muscade, le gingembre et la coriandre, et cuire 1 minute sans cesser de remuer.

2. Incorporer la courge et les lentilles, et cuire 2 minutes sans cesser de remuer. Mouiller avec le bouillon et porter à ébullition à feu moyen. Réduire le feu et laisser mijoter 50 minutes à 1 heure en remuant de temps à autre, jusqu'à ce que les légumes soient tendres.

3. Retirer la casserole du feu et laisser la soupe tiédir. Transférer dans un robot de cuisine et réduire en purée homogène.

4. Rincer la casserole, y reverser la soupe et incorporer le jus de citron. Saler et poivrer à volonté, et réchauffer à feu doux. Répartir la soupe dans des bols chauds, napper d'une volute de crème fraîche et servir.

Pour 6 personnes

3 cuil. à soupe d'huile d'olive

2 gros oignons, hachés

2 gousses d'ail, hachées

2 cuil. à café de cumin en poudre

1 cuil. à café de cannelle en poudre

½ cuil. à café de noix muscade fraîchement râpée

½ cuil. à café de gingembre en poudre

½ cuil. à café de coriandre en poudre

1 kg de courge d'hiver ou de citrouille, épépinées et coupées en cubes

300 g de pois cassés rouges ou jaunes

1,8 l de bouillon de légumes de base

3 cuil. à soupe de jus de citron

sel et poivre

crème fraîche ou faisselle, en garniture

Ribollita

① Mettre la moitié des haricots dans un robot de cuisine et réduire en purée épaisse. Racler les parois du robot et réserver.

② Chauffer l'huile dans une grande casserole, ajouter l'oignon, le poireau, l'ail, les carottes et le céleri, et cuire 8 à 10 minutes à feu doux en remuant de temps en temps. Ajouter les pommes de terre et les courgettes, et cuire 2 minutes sans cesser de remuer.

③ Ajouter les tomates, le concentré de tomate et éventuellement le piment, et cuire 3 minutes sans cesser de remuer. Incorporer la purée de haricots et cuire encore 2 minutes sans cesser de remuer.

④ Mouiller avec le bouillon, ajouter les choux et porter à ébullition. Réduire le feu et laisser mijoter 2 heures.

⑤ Pendant ce temps, préchauffer le gril. Frotter les tranches de pain avec les demi-gousses d'ail et les faire griller des deux côtés.

⑥ Incorporer les haricots entiers à la soupe et réchauffer le tout 10 minutes. Saler et poivrer. Placer les tranches de pain dans des bols chauds, ajouter la soupe par-dessus et arroser d'huile d'olive. Servir immédiatement.

Pour 6 personnes

400 g de haricots cannellini en boîte, égouttés et rincés

3 cuil. à soupe d'huile d'olive, un peu plus pour arroser

1 oignon, haché

1 poireau, haché

4 gousses d'ail, hachées

2 carottes, en dés

2 branches de céleri, hachées

2 pommes de terre, en dés

2 courgettes, en dés

2 grosses tomates, pelées, épépinées et hachées

1 cuil. à café de concentré de tomates séchées au soleil

1 piment séché, pilé (facultatif)

1,8 l bouillon de légumes de base

225 g de chou rouge ou de bettes, hachés

225 g de chou de Milan, haché

6 tranches de ciabatta

2 gousses d'ail, coupées en deux

sel et poivre

Soupe de pommes de terre aux lardons

1. Chauffer l'huile d'olive dans une grande casserole, ajouter les lardons, les oignons et l'ail, et cuire 5 à 7 minutes à feu moyen en remuant souvent, jusqu'à ce que les lardons soient croustillants et que les oignons aient bruni.

2. Mouiller avec le bouillon et ajouter les pommes de terre, le chou, la sauce Worcester et la moutarde, puis saler et poivrer à volonté. Porter à ébullition, réduire le feu et laisser mijoter 30 minutes en remuant de temps en temps.

3. Retirer la casserole du feu et laisser tiédir. Transférer le tiers de la soupe dans un robot de cuisine, le réduire en purée épaisse et le reverser dans la casserole. Bien mélanger et réchauffer le tout 5 à 10 minutes en remuant souvent. Saler à volonté, incorporer le persil et répartir la soupe dans des bols chauds. Servir immédiatement, accompagné de petits pains frais.

Pour 6 personnes

2 cuil. à soupe d'huile d'olive

180 g de lardons

2 oignons, hachés

2 gousses d'ail, hachées

1,8 l de bouillon de légumes de base

350 g de pommes de terre, en dés

265 g de chou de Milan, haché

1 cuil. à café de sauce Worcester ou de Tabasco

1 cuil. à café de moutarde de Dijon

3 cuil. à soupe de persil plat frais finement haché

sel et poivre

petits pains frais, en accompagnement

Soupe de porc au boulgour

1. Chauffer l'huile dans une grande casserole, ajouter le porc, les oignons et l'ail, et cuire 8 minutes à feu moyen en remuant de temps en temps, jusqu'à ce que la viande soit dorée.

2. Mouiller avec le vin et cuire 2 minutes sans cesser de remuer jusqu'à ce que l'alcool se soit évaporé, puis ajouter le bouillon. Réduire le feu, couvrir et laisser mijoter 15 minutes.

3. Ajouter le boulgour, saler et poivrer, et cuire encore 15 minutes, jusqu'à ce que la viande et le boulgour soient tendres et que la soupe ait épaissi.

4. Incorporer le jus de citron. Rectifier l'assaisonnement et servir immédiatement, saupoudré de piment de Cayenne et accompagné de pain au lait beurré.

Pour 4 à 6 personnes

5 cuil. à soupe d'huile d'olive

500 g de viande de porc désossée, en dés

2 oignons, hachés

2 gousses d'ail, finement hachées (facultatif)

120 ml de vin blanc

150 ml de bouillon de légumes de base

140 g de boulgour

3 cuil. à soupe de jus de citron

1 pincée de piment de Cayenne

sel et poivre

pain au lait et beurre, en accompagnement

Soupe façon petit salé aux lentilles

1. Mettre le petit salé dans une grande casserole et cuire 8 à 10 minutes à feu moyen en remuant souvent, jusqu'à ce qu'il soit dégraissé et uniformément doré. Le retirer de la casserole à l'aide d'une écumoire et l'égoutter sur du papier absorbant. Réserver.

2. Chauffer l'huile dans la casserole. Ajouter l'oignon, l'ail et les pommes de terre, et cuire 5 minutes à feu doux, en remuant de temps en temps, jusqu'à ce que l'oignon soit tendre. Incorporer les lentilles et cuire 5 minutes sans cesser de remuer.

3. Mouiller avec le bouillon, ajouter le bouquet garni et porter à ébullition à feu moyen sans cesser de remuer. Réduire le feu, couvrir et laisser mijoter 1 h 30 à 2 heures, jusqu'à ce que les lentilles soient très tendres. Incorporer le petit salé, saler et poivrer si nécessaire, et cuire encore 10 minutes en remuant de temps en temps, jusqu'à ce que le tout soit bien chaud.

4. Retirer la casserole du feu. Jeter le bouquet garni. Transférer la soupe dans une soupière chaude et servir immédiatement accompagné de pain frais.

Pour 6 à 8 personnes

225 g de petit salé, en dés

2 cuil. à soupe d'huile d'olive

1 oignon, haché

3 gousses d'ail, hachées

4 pommes de terre, en dés

430 g de lentilles corail

2 l de bouillon de légumes de base

1 bouquet garni (1 feuille de laurier, 1 brin de thym frais et 3 brins de persil frais, noués ensemble)

sel et poivre

pain croustillant, en accompagnement

Soupe de légumes aux boulettes de viande

1. Mettre les oignons, le céleri, le rutabaga, les carottes, les pommes de terre, les poivrons, les tomates, les petits pois et les rondelles de citron dans une grande casserole et ajouter le bouillon. Saler, poivrer et porter à ébullition. Réduire le feu, couvrir et laisser mijoter 25 à 30 minutes.

2. Pendant ce temps, pour les boulettes de viande, mettre l'agneau, le persil et le riz dans une terrine et pétrir de façon à bien mélanger le tout. Saler et poivrer. Prélever un morceau de la taille d'une balle de golf du mélange et la façonner en boule entre la paume des mains. Saupoudrer de farine la boulette ainsi obtenue et la secouer de façon à ôter l'excédent. Répéter l'opération avec le mélange restant.

3. Ajouter les boulettes de viande à la soupe, couvrir la casserole et cuire encore 40 à 45 minutes en remuant de temps en temps. Servir immédiatement.

Pour 6 personnes

2 oignons, finement hachés

1 petit céleri-rave, en dés

½ rutabaga, en dés

3 carottes, en dés

2 pommes de terre, en dés

2 poivrons rouges, épépinés et coupés en dés

4 tomates, pelées, épépinées et hachées

145 g de petits pois écossés frais ou surgelés

1 citron, coupé en rondelles

1,6 l bouillon de légumes de base

sel et poivre

Boulettes de viande

350 g de viande d'agneau hachée

3 cuil. à soupe de persil plat frais haché

65 g de riz à grains moyens

farine, pour saupoudrer

sel et poivre

Soupe de nouilles au bœuf

1. Mettre les champignons déshydratés dans un bol, couvrir d'eau bouillante et laisser tremper 20 minutes. Égoutter et rincer les champignons chinois, ou égoutter les cèpes et passer leur liquide de trempage au chinois ou dans un filtre à café.

2. Chauffer l'huile dans une grande casserole. Ajouter la viande et cuire sans cesser de remuer jusqu'à ce qu'elle soit dorée uniformément. La retirer de la casserole à l'aide d'une écumoire et l'égoutter sur du papier absorbant.

3. Ajouter les carottes, les oignons verts, l'ail et le gingembre dans la casserole et cuire 5 minutes sans cesser de remuer. Remettre la viande dans la casserole, mouiller avec le bouillon et ajouter la sauce de soja, la sauce hoisin et le vin de riz. Ajouter les champignons chinois, ou les cèpes et leur eau de trempage. Poivrer et porter à ébullition à feu moyen. Réduire le feu et laisser mijoter 15 minutes.

4. Ajouter les nouilles et les épinards dans la casserole, bien mélanger et laisser mijoter encore 7 à 8 minutes. Rectifier l'assaisonnement en ajoutant du poivre ou de la sauce de soja si nécessaire. Servir immédiatement.

Pour 6 personnes

1 petite poignée de champignons chinois ou de cèpes déshydratés

3 cuil. à soupe d'huile de maïs

500 g de viande de bœuf, coupée en lanières

3 carottes, en julienne

10 oignons verts, finement ciselés

2 gousses d'ail, finement hachées

1 cuil. à soupe de gingembre frais finement haché

1,8 l bouillon de légumes de base

4 cuil. à soupe de sauce de soja épaisse

1 cuil. à soupe de sauce hoisin

6 cuil. à soupe de vin de riz chinois ou de xérès sec

140 g de nouilles aux œufs

50 g de feuilles d'épinards frais

poivre

12

Soupe de pois cassés à la saucisse

1. Mettre le porc dans une grande casserole et mouiller avec le bouillon. Ajouter l'oignon, les poireaux, les carottes, le céleri, la pomme, les petits pois, le bouquet garni et la mélasse et porter à ébullition. Écumer la surface à l'aide d'une cuillère ou d'une écumoire, réduire le feu et couvrir, puis laisser mijoter 2 heures en remuant de temps en temps.

2. Saler et poivrer à volonté et jeter le bouquet garni. Incorporer les saucisses et le beurre, et laisser mijoter encore 5 minutes. Servir immédiatement accompagné de pain de seigle.

Pour 6 personnes

175 g de viande de porc, en cubes

2 l de bouillon de légumes de base

1 oignon, haché

4 poireaux, hachés

3 carottes, hachées

3 branches de céleri, hachées

1 pomme, pelée, évidée et hachée

320 g de pois cassés, mis à tremper une nuit dans de l'eau, égouttés et rincés

1 bouquet garni (2 brins de persil frais, 1 brin de thym frais et 1 brin de menthe fraîche)

1 cuil. à soupe de mélasse

4 saucisses de Francfort, coupées en tronçons de 2,5 cm

2 cuil. à soupe de beurre

sel et poivre

pain de seigle, en accompagnement

Soupe de choucroute à la saucisse

① Faire fondre le beurre dans une grande casserole à feu doux. Ajouter la farine et le paprika, et cuire 2 minutes sans cesser de remuer, puis retirer la casserole du feu. Mouiller avec le bouillon progressivement, jusqu'à ce qu'il soit totalement incorporé et que la préparation soit homogène.

② Remettre la casserole à feu moyen et porter à ébullition sans cesser de remuer. Ajouter la choucroute et les saucisses, saler et poivrer. Réduire le feu, couvrir et laisser mijoter 30 minutes.

③ Pendant ce temps, pour préparer les dumplings, tamiser le sel et la farine dans une terrine. Incorporer progressivement l'œuf et déposer le tout sur un plan de travail fariné. Pétrir jusqu'à obtention d'une pâte homogène, couvrir et laisser reposer 15 minutes.

④ Diviser la pâte en 6 morceaux et les façonner en saucisses. Les mains farinées, séparer les saucisses en tronçons et ajouter à la soupe. Couvrir la casserole et laisser mijoter encore 5 minutes. Retirer la casserole du feu, incorporer la crème aigre et servir immédiatement.

Pour 6 personnes

2 cuil. à soupe de beurre

1 cuil. à soupe de farine

1 cuil. à soupe de paprika doux

✳ 2 l de bouillon de légumes de base

650 g de choucroute, égouttée

500 g de saucisses de porc fumées, coupées en rondelles de 2,5 cm

150 g de crème aigre

sel et poivre

Dumplings

85 g de farine, un peu plus pour saupoudrer

1 pincée de sel

1 gros œuf

Soupe de lentilles au poulet

1. Chauffer l'huile dans une grande casserole. Ajouter l'oignon, les poireaux, les carottes, le céleri et les champignons, et cuire 5 à 7 minutes à feu doux en remuant de temps en temps, jusqu'à ce que le tout soit tendre sans avoir doré.

2. Mouiller avec le vin et cuire 2 à 3 minutes à feu moyen, jusqu'à ce que l'alcool se soit évaporé. Mouiller avec le bouillon, porter à ébullition et ajouter les feuilles de laurier et les fines herbes. Réduire le feu, couvrir et laisser mijoter 30 minutes.

3. Ajouter les lentilles, couvrir la casserole et laisser mijoter encore 40 minutes en remuant de temps en temps, jusqu'à ce qu'elles soient tendres.

4. Incorporer le poulet, saler et poivrer à volonté, et laisser mijoter encore 5 à 10 minutes, jusqu'à ce que le tout soit bien chaud. Servir immédiatement.

Pour 6 personnes

3 cuil. à soupe d'huile d'olive

1 gros oignon, haché

2 poireaux, hachés

2 carottes, hachées

2 branches de céleri, hachées

175 g de champignons de Paris, hachés

4 cuil. à soupe de vin blanc sec

1,2 l de bouillon de légumes de base

1 feuille de laurier

2 cuil. à café d'un mélange de fines herbes séchées

140 g de lentilles du Puy

300 g de dés de poulet cuit

sel et poivre

Soupe de poulet et ses boulettes au pain azyme

① Pour les boulettes, faire fondre 1 cuillerée à soupe de beurre dans une petite poêle, ajouter l'oignon et cuire 5 minutes à feu doux en remuant de temps en temps, jusqu'à ce qu'il soit tendre. Retirer la poêle du feu et laisser l'oignon refroidir.

② Battre le beurre en crème dans un bol, incorporer l'œuf entier et le jaune progressivement, et ajouter le persil et l'oignon. Saler, poivrer et bien mélanger, puis ajouter l'eau en battant bien. Incorporer les craquelins, couvrir et laisser reposer 30 minutes au réfrigérateur.

③ Pendant ce temps, mettre le poulet dans une grande casserole et mouiller avec le bouillon. Porter à ébullition à feu moyen à doux en écumant la surface, puis laisser mijoter 15 minutes.

④ Ajouter l'oignon haché, le céleri, les carottes, les tomates et le persil, puis saler et poivrer. Réduire le feu, couvrir et laisser mijoter 50 minutes à 1 heure, jusqu'à ce que le poulet soit cuit et tendre. Pendant ce temps, façonner la préparation au pain azyme en 18 boulettes.

⑤ Filtrer la soupe et la verser dans une casserole propre en réservant les blancs de poulet. Détailler la chair du poulet en cubes. Ajouter le poulet, le vermicelle et les boulettes au pain azyme dans la casserole, couvrir et laisser mijoter 20 à 30 minutes à feu doux. Servir immédiatement.

Pour 6 personnes

2 blancs de poulet

2,5 l de bouillon de légumes de base

2 oignons, hachés

2 branches de céleri, hachées

2 carottes, hachées

2 tomates, pelées et hachées

2 brins de persil frais

55 g de vermicelle

sel et poivre

Boulettes au pain azyme

4 cuil. à soupe de beurre

½ oignon, râpé

1 œuf entier

1 jaune d'œuf

1 cuil. à soupe de persil frais finement haché

1 cuil. à soupe d'eau

165 g de craquelins de pain azyme émiettés

sel et poivre

Soupe de poulet aux amandes

1. Faire fondre le beurre dans une casserole, ajouter les poireaux et le gingembre, et cuire 5 minutes à feu doux en remuant de temps en temps, jusqu'à ce qu'ils soient tendres. Ajouter le poulet, les carottes, les petits pois, les piments et la poudre d'amandes, et cuire 10 minutes sans cesser de remuer.

2. Incorporer la coriandre, retirer la casserole du feu et laisser tiédir. Transférer la préparation dans un robot de cuisine et mixer jusqu'à obtention d'une consistance homogène. Ajouter le bouillon et réduire en purée.

3. Reverser la soupe dans la casserole, saler et poivrer, puis porter à ébullition. Réduire le feu au minimum et incorporer progressivement la crème fraîche en veillant à ne pas laisser bouillir la sauce. Laisser mijoter 2 minutes en remuant souvent. Répartir la soupe dans des bols chauds, garnir de coriandre hachée et de poudre d'amande, et servir.

Pour 6 personnes

115 g de beurre

2 poireaux, hachés

1½ cuil. à soupe de gingembre frais finement haché

175 g de blanc de poulet, en dés

2 carottes, hachées

110 g de petits pois écossés frais ou surgelés

2 piments verts, épépinés et hachés

110 g de poudre d'amandes, un peu plus pour décorer

1 cuil. à soupe de coriandre fraîche hachée, un peu plus pour la garniture

700 ml de bouillon de légumes de base

350 g de crème fraîche liquide

sel et poivre

17

Soupe de poulet aux poireaux et au riz

1. Chauffer l'huile dans une casserole, ajouter les poireaux et cuire 5 minutes à feu doux en remuant de temps en temps, jusqu'à ce qu'ils soient tendres. Ajouter le poulet et cuire 2 minutes à feu moyen en remuant souvent. Ajouter le riz et cuire encore 2 minutes sans cesser de remuer.

2. Mouiller avec le bouillon, ajouter la sauce Worcester et les ciboules, et porter à ébullition. Réduire le feu, couvrir et laisser mijoter 20 à 25 minutes.

3. Pendant ce temps, préchauffer le gril. Passer le lard au gril 2 à 4 minutes de chaque côté, jusqu'à ce qu'il soit croustillant. Laisser refroidir et émietter.

4. Saler et poivrer la soupe à volonté et incorporer le persil. Répartir la soupe dans des bols chauds, garnir de lard grillé et servir.

Pour 6 personnes

2 cuil. à soupe d'huile d'olive

3 poireaux, hachés

6 pilons de poulet, désossés et sans la peau, en dés

50 g de riz longs grains

1,3 l de bouillon de légumes de base

1 trait de sauce Worcester

6 ciboules fraîches, hachées

6 fines tranches de lard

2 cuil. à soupe de persil plat frais haché

sel et poivre

Soupe de poisson et ses boulettes de semoule à l'aneth

1. Mettre le chorizo dans une casserole à fond épais et cuire 5 minutes à feu moyen à doux en remuant souvent, jusqu'à ce qu'il soit légèrement doré. Ajouter le poisson et cuire 2 minutes sans cesser de remuer délicatement.

2. Saupoudrer de paprika et de piment de Cayenne, mouiller avec le bouillon et porter à ébullition. Réduire le feu, couvrir et laisser mijoter 10 minutes.

3. Ajouter les pommes de terre, les tomates et le persil, mélanger délicatement et couvrir, puis laisser mijoter 10 minutes.

4. Pendant ce temps, pour préparer les boulettes, mélanger la semoule, le sel et l'aneth dans une terrine. Battre l'œuf avec le lait et incorporer dans la terrine. Couvrir et laisser reposer 10 minutes au réfrigérateur.

5. Prélever des cuillerées à soupe de la préparation et les ajouter à la soupe. Saler et poivrer à volonté, couvrir et laisser mijoter encore 10 minutes. Servir immédiatement.

Pour 6 personnes

100 g de chorizo, en dés

500 g de filets de poisson à chair blanche, sans la peau et en dés

1 cuil. à soupe de paprika doux

1 pincée de piment de Cayenne

150 ml de bouillon de légumes de base

4 pommes de terre, en dés

4 tomates, pelées et en dés

1 cuil. à soupe de persil plat frais haché

sel et poivre

Boulettes de semoule à l'aneth

100 g de semoule fine

1 pincée de sel

1 cuil. à soupe d'aneth frais haché

1 œuf

3 cuil. à soupe de lait

Soupe de poisson à la patate douce

1. Mettre le poisson, les patates douces, l'oignon, les carottes et la cannelle dans une casserole, ajouter 950 ml de bouillon et porter à ébullition. Réduire le feu, couvrir et laisser mijoter 30 minutes.

2. Pendant ce temps, gratter les palourdes sous l'eau courante et jeter celles qui sont cassées ou qui ne se ferment pas immédiatement au toucher. Les mettre dans une casserole, ajouter le vin et couvrir, puis cuire 3 à 5 minutes à feu vif en secouant régulièrement la casserole, jusqu'à ce que les palourdes soient ouvertes. Retirer la casserole du feu et prélever les palourdes à l'aide d'une écumoire en réservant le jus de cuisson. Jeter les palourdes restées fermées. Filtrer le liquide de cuisson au chinois dans un bol.

3. Retirer la casserole contenant le poisson et les légumes du feu et laisser tiédir. Transférer la préparation dans un robot de cuisine et réduire en purée homogène.

4. Reverser la soupe dans la casserole, ajouter le bouillon restant et le liquide de cuisson des palourdes, et porter à ébullition. Réduire le feu et incorporer progressivement la crème fraîche, en veillant à ne pas laisser bouillir la soupe. Ajouter les palourdes, saler et poivrer à volonté, et laisser mijoter 2 minutes en remuant souvent, jusqu'à ce que le tout soit bien chaud. Garnir de persil, arroser d'huile d'olive et servir immédiatement.

Pour 6 personnes

350 g de filets de poisson à chair blanche, sans la peau

135 g de patates douces, en dés

1 oignon, haché

2 carottes, en dés

½ cuil. à café de cannelle en poudre

1,8 l de bouillon de légumes de base

400 g de palourdes

150 ml de vin blanc sec

240 g de crème fraîche liquide

sel et poivre

persil plat frais haché, en garniture

huile d'olive vierge extra, pour arroser

20

Soupe de pâtes aux palourdes

① Chauffer l'huile dans une grande casserole. Ajouter l'oignon et l'ail, et cuire 5 minutes à feu doux en remuant de temps en temps, jusqu'à ce qu'ils soient tendres. Ajouter les tomates, le concentré de tomate, le sucre, l'origan et bouillon, puis saler et poivrer. Mélanger, porter à ébullition et réduire le feu. Couvrir et laisser mijoter 10 minutes en remuant de temps en temps.

② Pendant ce temps, gratter les palourdes sous l'eau courante et jeter celles qui sont cassées ou qui ne se ferment pas immédiatement au toucher. Les mettre dans une casserole, ajouter le vin et couvrir, puis cuire 3 à 5 minutes à feu vif en secouant régulièrement la casserole, jusqu'à ce que les palourdes soient ouvertes. Retirer la casserole du feu et prélever les palourdes à l'aide d'une écumoire en réservant le jus de cuisson. Jeter les palourdes restées fermées. Filtrer le liquide de cuisson au chinois dans un bol.

③ Ajouter les pâtes à la soupe et laisser mijoter 10 minutes sans couvrir. Ajouter les palourdes et le liquide de cuisson filtré, bien mélanger et cuire 4 à 5 minutes à feu doux en veillant à ne pas laisser bouillir. Si la soupe est trop épaisse, allonger avec un peu d'eau ou de bouillon. Rectifier l'assaisonnement, incorporer le persil et servir immédiatement.

Pour 6 personnes

3 cuil. à soupe d'huile d'olive

1 oignon, finement haché

3 gousses d'ail, hachées

600 g de tomates concassées en boîte

2 cuil. à soupe de concentré de tomate

2 cuil. à café de sucre

1 cuil. à café d'origan séché

✳ 950 ml de bouillon de légumes de base

500 g de palourdes

180 ml de vin blanc sec

75 g de conchigliette ou d'autres pâtes à soupe

3 cuil. à soupe de persil plat frais haché

sel et poivre

Soupe express aux noix de Saint-Jacques et aux pâtes

1. Couper les noix de Saint-Jacques en deux dans l'épaisseur, puis les saler et les poivrer.

2. Verser le lait et le bouillon dans une casserole, ajouter une pincée de sel et porter à ébullition. Ajouter les petits pois et les pâtes, porter de nouveau à ébullition et cuire encore 8 à 10 minutes, jusqu'à ce qu'à ce que les pâtes soient *al dente*.

3. Pendant ce temps, faire fondre le beurre dans une poêle, ajouter les oignons verts et cuire 3 minutes à feu doux en remuant de temps en temps. Ajouter les noix de Saint-Jacques et cuire 45 secondes de chaque côté. Mouiller avec le vin, ajouter le prosciutto et cuire encore 2 à 3 minutes.

4. Incorporer la préparation à base de noix de Saint-Jacques à la soupe, rectifier l'assaisonnement et garnir de persil. Servir immédiatement.

Pour 6 personnes

500 g de noix de Saint-Jacques décoquillées

350 ml de lait

1,6 l de bouillon de légumes de base

150 g de petits pois écossés frais ou surgelés

175 g de taglialini

5 cuil. à soupe de beurre

2 oignons verts, finement hachés

180 ml de vin blanc sec

3 tranches de prosciutto, coupées en fines lanières

sel et poivre

persil plat frais haché, en garniture

22

Soupe de poisson méditerranéenne et son aïoli

① Veiller à bien ôter les branchies des têtes de poisson réservées. Couper les filets en morceaux. Mettre les parures dans une casserole, ajouter le vin, la moitié du jus de citron, le bouillon, les herbes de Provence et les feuilles de laurier, et porter à ébullition. Saler, réduire le feu et laisser mijoter 30 minutes.

② Pendant ce temps, pour l'aïoli, piler l'ail avec une pincée de sel dans un mortier et le transférer dans un bol. Ajouter les jaunes d'œufs et battre en crème brièvement à l'aide d'un batteur électrique. Mélanger les huiles dans un pichet et en verser la moitié goutte à goutte dans le bol sans cesser de fouetter. Ajouter le mélange d'huiles restant en mince filet continu sans cesser de battre. Allonger avec le jus de citron jusqu'à obtention de la consistance souhaitée. Transférer l'aïoli dans une saucière, couvrir et réserver.

③ Filtrer le liquide de cuisson dans un bol et jeter les parures restées dans le chinois. Ajouter éventuellement de l'eau de façon obtenir 1,8 l de liquide et reverser dans la casserole.

④ Battre les jaunes d'œufs avec le jus de citron restant dans un bol et les incorporer dans la casserole. Ajouter les morceaux de poisson, mélanger et cuire 7 à 8 minutes à feu doux, jusqu'à ce que le poisson soit tendre et que la soupe ait épaissi. Veiller à ne pas laisser bouillir la soupe.

⑤ Transférer la soupe dans une soupière et servir immédiatement accompagné d'aïoli et de pain grillé.

Pour 6 personnes

2 kg d'un mélange
    de poisson à chair blanche,
    filets levés, arêtes ôtées
    et parures réservées

2 cuil. à soupe de vinaigre
    de vin blanc

2 cuil. à soupe de jus de citron

1,8 l de bouillon de légumes
    de base

2 cuil. à café d'herbes
    de Provence

2 feuilles de laurier

4 jaunes d'œufs

sel et poivre

pain de campagne grillé,
    en accompagnement

Aïoli

4 gousses d'ail

2 jaunes d'œufs

120 ml d'huile d'olive vierge

120 ml d'huile de tournesol
    ou d'huile de carthame

1 à 2 cuil. à soupe de jus
    de citron

sel

Savoureuses

Soupe de carottes aux panais

1. Mettre les carottes, les panais, les échalotes et le cerfeuil dans une casserole et ajouter le bouillon, puis saler et poivrer. Porter à ébullition, réduire le feu et laisser mijoter 20 à 25 minutes, jusqu'à ce que les légumes soient tendres.

2. Retirer la casserole du feu et laisser tiédir. Jeter le cerfeuil, puis transférer la soupe dans un robot de cuisine, en plusieurs fois si nécessaire, et réduire en purée.

3. Reverser la soupe dans la casserole préalablement rincée et réchauffer à feu doux. Répartir dans des bols chauds, napper chaque portion d'une cuillerée à soupe de crème fraîche et servir.

Pour 6 personnes

200 g de carottes, hachées

230 g de panais, hachés

4 échalotes, hachées

4 brins de cerfeuil frais

880 ml de bouillon de légumes de base

sel et poivre

crème fraîche épaisse, en garniture

Soupe de carottes à la coriandre

1. Chauffer l'huile dans une grande casserole. Ajouter l'oignon et cuire 5 minutes à feu doux en remuant de temps en temps, jusqu'à ce qu'il soit tendre.

2. Ajouter la pomme de terre et le céleri et cuire 5 minutes en remuant de temps en temps. Ajouter les carottes et cuire encore 5 minutes en remuant de temps en temps. Couvrir, réduire le feu au minimum et cuire 10 minutes en secouant la casserole de temps en temps.

3. Mouiller avec le bouillon et porter à ébullition, puis couvrir et laisser mijoter 10 minutes, jusqu'à ce que les légumes soient tendres.

4. Pendant ce temps, faire fondre le beurre dans une poêle, ajouter les graines de coriandre et cuire 1 minute sans cesser de remuer. Ajouter la coriandre hachée et cuire 1 minute sans cesser de remuer. Retirer la poêle du feu.

5. Retirer la casserole du feu et laisser tiédir. Transférer dans un robot de cuisine, en plusieurs fois si nécessaire, et réduire en purée. Reverser la soupe dans la casserole préalablement rincée et incorporer la préparation à base de coriandre et le lait, puis saler et poivrer à volonté. Réchauffer à feu doux et servir, garni de coriandre hachée.

Pour 6 personnes

3 cuil. à soupe d'huile d'olive

1 oignon rouge, haché

1 grosse pomme de terre, hachée

1 branche de céleri, hachée

340 g de carottes, hachées

950 ml de bouillon de légumes de base

1 cuil. à soupe de beurre

2 cuil. à café de graines de coriandre, pilées

1½ cuil. à soupe de coriandre fraîche hachée, un peu plus pour la garniture

240 ml de lait

sel et poivre

Soupe à la crème de tomate

1. Faire fondre le beurre dans une casserole, ajouter l'oignon et cuire à feu doux 5 minutes en remuant de temps en temps, jusqu'à ce qu'il soit tendre. Ajouter les tomates, la feuille de laurier, le basilic et le persil, saler et poivrer, et laisser mijoter 15 minutes en remuant de temps en temps, jusqu'à ce que les tomates soient cuites et que le liquide se soit évaporé.

2. Mouiller avec le bouillon et porter à ébullition à feu moyen. Réduire le feu, couvrir et laisser mijoter 25 minutes.

3. Pendant ce temps, pour les croûtons, couper le pain en dés de 5 mm. Chauffer l'huile dans une poêle, ajouter les dés de pain et les faire griller en remuant souvent, jusqu'à ce qu'ils soient bien dorés. Retirer les croûtons de la poêle à l'aide d'une écumoire et les égoutter sur du papier absorbant.

4. Retirer la casserole du feu et laisser tiédir. Jeter les herbes et incorporer le ketchup. Transférer la soupe dans un robot de cuisine, en plusieurs fois si nécessaire, et réduire en purée. S'il reste des pépins de tomates, filtrer la soupe au chinois.

5. Reverser la soupe dans la casserole préalablement rincée et la réchauffer. Incorporer la crème fraîche et chauffer encore 1 à 2 minutes à feu doux, jusqu'à ce que la soupe soit chaude. Rectifier l'assaisonnement et répartir dans des bols chauds. Ciseler les feuilles de basilic et en parsemer la soupe, puis ajouter the croûtons et servir immédiatement.

Pour 6 personnes

4 cuil. à soupe de beurre

1 oignon, haché

1 kg de tomates mûres, pelées, épépinées et hachées

1 feuille de laurier

4 brins de basilic frais

4 brins de persil frais

1,8 l de bouillon de légumes de base

1 cuil. à soupe de ketchup

180 g de crème fraîche épaisse

sel et poivre

feuilles de basilic frais, en garniture

Croûtons

2 tranches de pain de la veille, sans la croûte

2 cuil. à soupe d'huile d'olive

Soupe de tomates aux panais

1. Faire fondre le beurre dans une casserole, ajouter les oignons et l'ail, et cuire à feu doux 5 minutes en remuant de temps en temps, jusqu'à ce qu'ils soient tendres. Ajouter les panais et cuire encore 5 minutes en remuant de temps en temps.

2. Saupoudrer de farine et ajouter le thym, puis saler et poivrer. Cuire 2 minutes sans cesser de remuer et retirer la casserole du feu. Incorporer progressivement le bouillon, puis ajouter le lait, la feuille de laurier et les tomates.

3. Remettre la casserole sur le feu et porter à ébullition à feu moyen sans cesser de remuer. Réduire le feu, couvrir et laisser mijoter 45 minutes, jusqu'à ce que les panais soient tendres.

4. Retirer la casserole du feu et laisser tiédir. Jeter la feuille de laurier. Transférer la soupe dans un robot de cuisine, en plusieurs fois si nécessaire, et réduire en purée.

5. Reverser la soupe dans la casserole préalablement rincée et réchauffer à feu doux en remuant de temps en temps. Rectifier l'assaisonnement. Répartir dans des bols chauds, garnir de ciboulette ciselée et servir immédiatement.

Pour 6 personnes

2 cuil. à soupe de beurre

2 oignons, hachés

1 gousse d'ail, finement hachée

375 g de panais, hachés

3 cuil. à soupe de farine

½ cuil. à café de thym séché

950 ml de bouillon de légumes de base

150 ml de lait

1 feuille de laurier

400 g de tomates concassées en boîte

sel et poivre

ciboulette fraîche ciselée, en garniture

27

Velouté de champignons

1. Couper le pain en dés et le mettre dans une terrine. Couvrir d'eau froide et laisser tremper 10 minutes, puis égoutter et presser fermement.

2. Pendant ce temps, faire fondre le beurre dans une grande casserole, ajouter l'oignon et cuire à feu doux 8 à 10 minutes en remuant de temps en temps, jusqu'à ce qu'il soit doré. Ajouter les champignons et l'ail, et cuire 5 à 7 minutes en remuant souvent, jusqu'à ce que les champignons aient rendu leur eau.

3. Ajouter le pain et thym, et mouiller avec le vin. Cuire 2 minutes, jusqu'à ce que l'alcool se soit évaporé, puis mouiller avec le bouillon et porter à ébullition à feu moyen. Réduire le feu, couvrir et laisser mijoter 20 à 25 minutes.

4. Retirer la casserole du feu et laisser tiédir. Transférer la soupe dans un robot de cuisine, en plusieurs fois si nécessaire, et réduire en purée.

5. Reverser la soupe dans la casserole préalablement rincée, saler et poivrer à volonté, et réchauffer à feu doux en remuant de temps en temps. Répartir dans des bols chauds et servir.

Pour 6 personnes

140 g de ciabatta ou autre pain de campagne, sans la croûte

4 cuil. à soupe de beurre

1 petit oignon, haché

600 g de champignons portobello, grossièrement hachés

1 gousse d'ail, finement hachée

½ cuil. à café de thym séché

150 ml de vin rouge ou de Madère

* 950 ml de bouillon de légumes de base

sel et poivre

Soupe de champignons au gingembre

1. Chauffer l'huile dans une casserole, ajouter les échalotes et le gingembre, et cuire 5 minutes à feu doux en remuant de temps en temps, jusqu'à ce qu'elles soient tendres. Ajouter les champignons et cuire 5 à 7 minutes en remuant souvent, jusqu'à ce qu'ils aient rendu leur eau.

2. Mouiller avec le bouillon et porter à ébullition. Réduire le feu et laisser mijoter 10 minutes.

3. Retirer la casserole du feu et laisser tiédir. Transférer la soupe dans un robot de cuisine, en plusieurs fois si nécessaire, et réduire en purée.

4. Reverser la soupe dans la casserole préalablement rincée et incorporer la crème aigre, puis saler et poivrer à volonté. Réchauffer à feu doux en remuant de temps en temps. Répartir la soupe dans des bols chauds, la parsemer de persil et servir immédiatement.

Pour 6 personnes

3 cuil. à soupe d'huile d'olive

4 échalotes, hachées

1 cuil. à soupe de gingembre frais finement haché

1 kg champignons cremini, grossièrement hachés

950 ml de bouillon de légumes de base

150 g de crème aigre

2 cuil. à soupe de persil plat frais haché, en garniture

sel et poivre

Soupe au poivron rouge

1. Préchauffer le gril. Mettre les poivrons sur une plaque et les passer 10 minutes au gril en les tournant régulièrement, jusqu'à ce que la peau ait noirci et soit plissée. Les transférer dans un sac en plastique à l'aide de pinces, fermer le sac et laisser tiédir. Peler les poivrons, les couper en deux et les épépiner, puis hacher la chair.

2. Pendant ce temps, verser le bouillon dans une casserole et porter à ébullition. Ajouter les poivrons, l'oignon, les carottes, le concombre et le chou-fleur, et porter de nouveau à ébullition. Réduire le feu, couvrir et laisser mijoter 20 minutes.

3. Retirer la casserole du feu et laisser tiédir. Transférer la soupe dans un robot de cuisine, en plusieurs fois si nécessaire, et réduire en purée.

4. Reverser la soupe dans la casserole préalablement rincée. Battre le jaune d'œuf avec la crème fraîche et les incorporer à la soupe. Saler et poivrer à volonté, et réchauffer à feu doux en remuant de temps en temps et en veillant à ne pas laisser la soupe bouillir. Incorporer le xérès, répartir dans des bols chauds et servir immédiatement.

Pour 6 personnes

2 poivrons rouges

1,3 l de bouillon de légumes de base

1 oignon, finement haché

2 carottes, hachées

100 g de concombre pelé, épépiné et haché

100 g de fleurettes de chou-fleur

1 gros jaune d'œuf

6 cuil. à soupe de crème fraîche épaisse

3 cuil. à soupe de xérès sec

sel et poivre

Soupe de chou-fleur à la noix de coco

1. Verser le bouillon dans une casserole et ajouter la citronnelle, le zeste de citron vert et le galanga. Piler 1 gousse d'ail avec les racines de coriandre dans un mortier et ajouter le tout dans la casserole. Porter à ébullition, puis réduire le feu, couvrir et laisser mijoter 40 minutes. Pendant ce temps, hacher finement l'ail restant.

2. Retirer la casserole du feu, filtrer le bouillon au chinois et le verser dans une terrine. Jeter le contenu du chinois.

3. Chauffer l'huile dans une casserole, ajouter les oignons verts, les piments et l'ail haché, et cuire 5 minutes à feu doux en remuant de temps en temps. Ajouter le chou-fleur et cuire 6 à 8 minutes en remuant souvent, jusqu'à ce qu'il soit légèrement coloré.

4. Ajouter le bouillon filtré, le lait de coco, la sauce de poisson thaïlandaise et la coriandre hachée, et porter à ébullition à feu moyen. Bien mélanger, réduire le feu et couvrir, puis laisser mijoter encore 25 à 30 minutes. Saler et poivrer à volonté, et incorporer le jus de citron vert. Répartir dans des bols chauds, garnir de coriandre et d'oignons grillés, et servir immédiatement.

Pour 6 personnes

1,3 l de bouillon de légumes de base

2 tiges de citronnelle, pilée

zeste râpé d'un citron vert

6 tranches de galanga ou de gingembre frais

2 gousses d'ail

6 racines de coriandre

3 cuil. à soupe d'huile d'arachide

6 oignons verts, émincés

1 piment vert, épépiné et haché

1 piment rouge thaïlandais, épépiné et finement émincé

1 gros chou-fleur, en fleurettes

400 ml de lait de coco en boîte

2 cuil. à soupe de sauce de poisson thaïlandaise (facultatif)

2 cuil. à soupe de coriandre fraîche hachée, un peu plus pour la garniture

1 cuil. à soupe de jus de citron vert

sel et poivre

oignons grillés, en garniture (*voir* page 19)

Soupe de topinambours

1. Remplir un bol d'eau et y ajouter le jus de citron. Peler les topinambours, les couper en morceaux et les plonger immédiatement dans l'eau citronnée de sorte qu'ils ne noircissent pas.

2. Chauffer le beurre avec l'huile dans une grande casserole, ajouter l'oignon et le cuire 5 minutes à feu doux en remuant de temps en temps, jusqu'à ce qu'il soit tendre. Égoutter les topinambours, les ajouter dans la casserole et mélanger. Couvrir et cuire 15 minutes en remuant de temps en temps.

3. Mouiller avec le bouillon et le lait, et porter à ébullition à feu moyen. Réduire le feu, couvrir et laisser mijoter 20 minutes, jusqu'à ce que les topinambours soient tendres.

4. Retirer la casserole du feu et laisser tiédir. Ajouter la ciboulette, puis transférer la soupe dans un robot de cuisine, en plusieurs fois si nécessaire, et réduire en purée.

5. Reverser la soupe dans la casserole préalablement rincée et incorporer la crème fraîche, puis saler et poivrer. Réchauffer à feu doux en remuant de temps en temps et en veillant à ne pas laisser la soupe bouillir. Répartir dans des bols chauds, garnir de croûtons et arroser d'huile. Servir immédiatement.

Pour 6 personnes

1 cuil. à soupe de jus de citron

700 g de topinambours

4 cuil. à soupe de beurre

1 cuil. à soupe d'huile de tournesol

1 gros oignon, haché

1,3 l de bouillon de légumes de base

180 ml de lait

1 cuil. à soupe de ciboulette fraîche ciselée

120 g de crème fraîche épaisse

sel et poivre

croûtons, en garniture (*voir* page 65)

huile d'olive vierge extra, pour arroser

32

Goulasch

1. Chauffer l'huile dans une grande casserole, ajouter l'oignon, l'ail et les carottes, et cuire 8 à 10 minutes à feu doux en remuant de temps en temps, jusqu'à ce que le tout soit légèrement coloré. Ajouter le chou et le poivron, et cuire encore 3 à 4 minutes en remuant souvent.

2. Saupoudrer de farine et de paprika, et cuire 1 minute sans cesser de remuer. Mouiller progressivement avec le bouillon et porter à ébullition à feu moyen sans cesser de remuer. Saler, réduire le feu et couvrir, puis laisser mijoter 30 minutes.

3. Ajouter les pommes de terre et porter de nouveau à ébullition, puis réduire le feu, couvrir et laisser mijoter encore 20 à 30 minutes, jusqu'à ce que les pommes de terre soient tendres sans toutefois se déliter.

4. Rectifier l'assaisonnement et ajouter du sucre si nécessaire. Répartir la soupe dans des bols chauds, garnir d'une volute de crème fraîche et servir immédiatement.

Pour 6 personnes

2 cuil. à soupe d'huile d'olive

1 gros oignon, haché

2 gousses d'ail, finement hachées

3 ou 4 carottes, finement émincées

½ chou de Milan, ciselé

1 petit poivron rouge, épépiné et haché

1 cuil. à soupe de farine

2 cuil. à soupe de paprika doux

950 ml de bouillon de légumes de base

2 pommes de terre, en morceaux

1 à 2 cuil. à café de sucre (facultatif)

sel et poivre

crème fraîche, en garniture

33

Soupe de citrouille et ses croûtons au lard

1. Chauffer l'huile dans une grande casserole, ajouter les oignons et cuire 5 minutes à feu doux en remuant de temps en temps, jusqu'à ce qu'ils soient tendres.

2. Ajouter la citrouille, le lard et la noix muscade, bien mélanger et couvrir. Laisser mijoter 5 à 8 minutes en remuant de temps en temps.

3. Mouiller avec le bouillon et porter à ébullition à feu moyen. Réduire le feu et laisser mijoter 10 à 15 minutes.

4. Pendant ce temps, pour préparer les croûtons, chauffer l'huile dans une poêle, ajouter le lard et le faire griller 4 à 6 minutes de chaque côté, jusqu'à ce qu'il soit croustillant. Pendant ce temps, couper le pain en dés de 1 cm. Retirer le lard de la poêle et l'égoutter sur du papier absorbant. Mettre les dés de pain dans la poêle et les faire griller sans cesser de remuer. Les retirer de la poêle et les égoutter sur du papier absorbant.

5. Retirer la casserole du feu et laisser tiédir. Transférer la soupe dans un robot de cuisine, en plusieurs fois si nécessaire, et réduire en purée homogène. Reverser la soupe dans la casserole préalablement rincée, puis saler et poivrer à volonté et réchauffer à feu doux en remuant de temps en temps.

6. Retirer la casserole du feu et répartir dans des bols chauds. Parsemer de croûtons et de lard émietté, et servir immédiatement.

Pour 6 personnes

2 cuil. à soupe d'huile d'olive

2 oignons, hachés

600 g de citrouille nature en boîte

180 g de lardons fumés

1 pincée de noix muscade râpée

1,2 l de bouillon de légumes de base

sel et poivre

Croûtons au lard

2 cuil. à soupe d'huile de tournesol

4 tranches de lard fumé

2 tranches de pain de la veille, sans la croûte

Soupe de lentilles au jambon

1. Chauffer l'huile dans une grande casserole, ajouter l'oignon, l'ail, le céleri, la carotte et la pomme de terre, et cuire 5 à 7 minutes à feu doux en remuant de temps en temps, jusqu'à ce que le tout soit tendre. Ajouter le jambon et cuire encore 3 minutes en remuant de temps en temps. Retirer le tout de la casserole à l'aide d'une écumoire et réserver.

2. Mettre les lentilles, le bouillon, la feuille de laurier et les brins de persil dans la casserole et porter à ébullition à feu moyen. Réduire le feu et laisser mijoter 30 minutes en remuant de temps en temps.

3. Ajouter les tomates, puis remettre les légumes et le jambon réservés dans la casserole. Bien mélanger et laisser mijoter encore 25 à 30 minutes.

4. Jeter the feuille de laurier et le persil. Incorporer le paprika et le vinaigre, puis saler et poivrer à volonté. Réchauffer la soupe 2 à 3 minutes, la transférer dans une soupière ou la répartir dans des bols, et servir immédiatement.

Pour 6 personnes

3 cuil. à soupe d'huile d'olive

1 oignon, haché

3 gousses d'ail, hachées

2 branches de céleri, hachées

1 carotte, hachée

1 pomme de terre, hachée

180 g de jambon fumé, haché

400 g de lentilles

3 l de bouillon de légumes de base

1 feuille de laurier

4 brins de persil frais

4 tomates, pelées et hachées

1½ cuil. à café de paprika doux

4 cuil. à soupe de vinaigre de xérès

sel et poivre

Bouillon de légumes à l'agneau

1. Mettre l'agneau dans une grande casserole, ajouter le bouillon et porter à ébullition à feu moyen à doux en écumant régulièrement la surface.

2. Ajouter l'oignon, l'orge, les petits pois et le brin de thym, et porter de nouveau à ébullition. Réduire le feu, couvrir et laisser mijoter 1 heure.

3. Ajouter les poireaux, le rutabaga, les carottes et le chou, saler et poivrer à volonté, et porter de nouveau à ébullition à feu moyen. Mélanger, réduire le feu et couvrir, puis laisser mijoter 30 minutes, jusqu'à ce que la viande et les légumes soient tendres.

4. Dégraisser la surface du bouillon si nécessaire et rectifier l'assaisonnement. Répartir dans des bols chauds, garnir de persil et servir immédiatement.

Pour 6 personnes

1 kg de viande d'agneau désossée, en cubes

1,8 l de bouillon de légumes de base

1 oignon, haché

45 g d'orge

50 g de petits pois secs, mis à tremper une nuit dans de l'eau et égouttés

1 brin de thym frais

2 poireaux, hachés

1 rutabaga ou 1 navet, hachés

2 carottes, hachées

½ chou de Milan, ciselé

2 cuil. à soupe de persil plat frais haché, en garniture

sel et poivre

Soupe d'aubergines à l'agneau

1. Préchauffer le four à 200 °C (th. 6-7). Piquer les aubergines à l'aide d'une fourchette, les mettre sur une plaque et les cuire 50 minutes à 1 heure au four préchauffé en les retournant une ou deux fois, jusqu'à ce qu'elles soient tendres. Laisser refroidir.

2. Pendant ce temps, chauffer l'huile dans une grande casserole, ajouter l'agneau et cuire 8 à 10 minutes à feu moyen en remuant souvent, jusqu'à ce qu'il soit uniformément doré. Mouiller avec le bouillon, ajouter l'oignon et porter à ébullition. Réduire le feu et laisser mijoter 1 h 30.

3. Retirer l'agneau de la casserole à l'aide d'une écumoire. Ajouter les pommes de terre, la cannelle, la coriandre et le cumin dans la casserole, bien mélanger et porter de nouveau à ébullition. Réduire le feu et laisser mijoter 20 à 25 minutes, jusqu'à ce que les pommes de terre soient tendres.

4. Pendant ce temps, détacher la viande des os et la couper en dés. Peler les aubergines et hacher grossièrement la chair.

5. Retirer la casserole du feu et laisser tiédir. Jeter le bâton de cannelle. Transférer la soupe dans un robot de cuisine, ajouter les aubergines et réduire le tout en purée.

6. Reverser la soupe dans la casserole préalablement rincée et ajouter la viande et le persil, puis saler et poivrer à volonté et réchauffer à feu doux en remuant de temps en temps. Garnir de rondelles de citron et servir accompagné de pain de seigle.

Pour 6 personnes

2 aubergines

2 cuil. à soupe d'huile d'olive

1,8 kg d'épaule d'agneau

2,5 l de bouillon de légumes de base

1 gros oignon, haché

2 pommes de terre, en morceaux

1 bâton de cannelle

½ cuil. à café de coriandre en poudre

½ cuil. à café de cumin en poudre

3 cuil. à soupe de persil plat frais haché

sel et poivre

rondelles de citron, coupées en deux, en garniture

pain de seigle, en accompagnement

Soupe citronnée à l'agneau

1. Mettre la farine dans un sac en plastique, saler et poivrer.
Ajouter la viande, fermer le sac et secouer pour enrober
la viande de farine. Retirer la viande du sac et ôter l'excédent
de farine.

2. Chauffer l'huile dans une grande casserole, ajouter la viande
et cuire 8 à 10 minutes à feu moyen en remuant souvent,
jusqu'à ce qu'elle soit uniformément dorée. Mouiller
avec le bouillon et porter à ébullition en écumant la surface.

3. Ajouter les carottes, les oignons et le piment de Cayenne, puis
saler et poivrer, et porter de nouveau à ébullition. Réduire
le feu, couvrir et laisser mijoter 1 h 30 à 2 heures, jusqu'à ce
que la viande soit tendre.

4. Pour la garniture, faire fondre le beurre dans une casserole
à feu très doux ou au four à micro-ondes, puis incorporer
la cannelle et le paprika.

5. Battre les jaunes d'œufs avec le jus de citron dans un bol.
Retirer la casserole du feu, incorporer une louche de soupe
dans le bol et verser le tout dans la casserole. Remettre
la casserole sur le feu et chauffer 1 à 2 minutes à feu très doux
en faisant tourner lentement la casserole. Veiller à ne pas
laisser bouillir.

6. Transférer la soupe dans une terrine, arroser de beurre fondu
épicé et garnir de menthe. Servir accompagné de pain pita.

Pour 6 personnes

60 g de farine

500 g d'épaule d'agneau
désossée, en cubes

3 cuil. à soupe d'huile d'olive

1,2 l de bouillon de légumes
de base

2 carottes, en morceaux

2 oignons, en quartiers

1 cuil. à café de piment
de Cayenne

3 jaunes d'œufs

2 cuil. à soupe de jus de citron

sel et poivre

pain pita, en accompagnement

Garniture
4 cuil. à soupe de beurre

½ cuil. à café de cannelle
en poudre

2 cuil. à café de paprika doux
ou fort

3 cuil. à soupe de menthe
fraîche hachée

Velouté de poulet

1. Mettre le poulet dans une grande casserole, ajouter le bouillon et le bouquet garni, saler et poivrer. Porter à ébullition à feu moyen en écumant la surface. Réduire le feu, couvrir et laisser mijoter 1 heure à 1 h 15, jusqu'à ce que le poulet soit tendre.

2. Retirer le poulet de la casserole et le laisser refroidir. Filtrer le bouillon, le verser dans une terrine et le laisser refroidir, puis le mettre une nuit au réfrigérateur ou 30 minutes au congélateur.

3. Pendant ce temps, réduire le beurre et la farine en une pâte homogène à l'aide d'une fourchette.

4. Ôter la peau du poulet et hacher grossièrement la chair. Dégraisser le bouillon. Mettre le poulet et le bouillon dans un robot de cuisine, en plusieurs fois si nécessaire, et réduire en purée homogène.

5. Reverser la purée dans la casserole préalablement rincée et la réchauffer à feu doux. Incorporer la pâte à base de beurre et de farine progressivement à la soupe. Veiller à ce que chaque morceau de pâte soit bien délayé dans la soupe avant l'ajout suivant. Porter à ébullition sans cesser de remuer, puis réduire le feu et laisser mijoter 5 minutes. Rectifier l'assaisonnement et incorporer la crème fraîche. Servir immédiatement, garni de croûtons.

Pour 6 personnes

1 poulet d'environ 1,3 kg

1,6 l de bouillon de légumes de base

1 bouquet garni (3 brins de persil frais, 2 brins de thym frais, 1 brin d'estragon frais et 1 feuille de laurier, liés ensemble)

1 cuil. à soupe de beurre, ramolli

2 cuil. à soupe de farine

4 cuil. à soupe de crème fraîche épaisse

sel et poivre

croûtons, en garniture (*voir* page 65)

Velouté de palourdes

① Faire fondre le beurre dans une casserole. Ajouter l'oignon et l'ail, et cuire 5 minutes à feu doux en remuant de temps en temps, jusqu'à ce qu'ils soient tendres.

② Incorporer la farine et cuire 1 minute sans cesser de remuer, puis retirer la casserole du feu. Mouiller progressivement avec le bouillon, puis avec le vin.

③ Remettre la casserole sur le feu, ajouter la feuille de laurier et les brins de persil, saler et poivrer. Porter à ébullition à feu moyen sans cesser de remuer, puis réduire le feu, couvrir et laisser mijoter 15 minutes.

④ Pendant ce temps, égoutter les palourdes en réservant le jus et les hacher finement.

⑤ Ajouter les palourdes et le jus réservé dans la casserole, porter de nouveau à ébullition et laisser mijoter encore 5 minutes.

⑥ Jeter the feuille de laurier et les brins de persil. Incorporer progressivement la crème fraîche et réchauffer la soupe à feu doux en veillant à ne pas laisser la soupe bouillir. Rectifier l'assaisonnement et répartir dans des bols chauds. Garnir de persil haché et servir immédiatement, accompagné de pain complet.

Pour 6 personnes

3 cuil. à soupe de beurre

1 gros oignon, finement haché

2 gousses d'ail, finement hachées

1 cuil. à soupe de farine

400 ml de bouillon de légumes de base

120 ml de vin blanc demi-sec

1 feuille de laurier

6 brins de persil frais

650 g de palourde en boîte

240 g de crème fraîche liquide

sel et poivre

3 cuil. à soupe de persil plat frais haché, en garniture

pain complet, en accompagnement

Soupe de crabe cajun

1. Faire fondre le beurre dans une grande casserole. Ajouter l'oignon, l'ail, le céleri et la carotte, et cuire 5 minutes à feu doux en remuant de temps en temps, jusqu'à ce que le tout soit tendre.

2. Mouiller avec le vin et cuire 2 minutes à feu moyen, jusqu'à ce que l'alcool se soit évaporé. Mouiller avec le bouillon et porter à ébullition, puis ajouter le maïs, le piment de Cayenne et les fines herbes. Porter de nouveau à ébullition, réduire le feu et laisser mijoter 15 minutes.

3. Ajouter la crème fraîche et laisser mijoter 10 à 15 minutes à feu très doux en veillant à ne pas laisser la soupe bouillir.

4. Incorporer progressivement la crème fraîche sans cesser de battre à l'aide d'un fouet, puis incorporer l'aneth et la chair de crabe. Saler et poivrer à volonté et chauffer encore 3 à 4 minutes à feu doux. Servir accompagné de petits pains complets.

Pour 6 personnes

3 cuil. à soupe de beurre

1 oignon, finement haché

2 gousses d'ail, hachées

2 branches de céleri, hachées

1 petite carotte, finement hachée

180 ml de vin blanc demi-sec

530 ml de bouillon de légumes de base

230 g de maïs surgelé

1 pincée de piment de Cayenne

½ cuil. à café de fines herbes séchées

400 g de crème fraîche

1 cuil. à soupe d'aneth frais haché

225 g de chair de crabe blanche

sel et poivre

petits pains complets, en accompagnement

Soupe de poisson au maïs

1. Placer le poisson dans un panier à étuver et l'arroser de vin. Mettre le gingembre dans un presse-ail et presser le jus sur le poisson. Procéder en plusieurs fois si nécessaire. Laisser le poisson mariner 15 minutes.

2. Verser le bouillon dans une casserole et porter à ébullition. Placer le panier à étuver au-dessus de la casserole, couvrir et cuire 8 à 10 minutes à la vapeur, jusqu'à ce que le poisson s'effeuille. Retirer le poisson du panier à étuver et le réserver.

3. Ajouter le maïs au bouillon et porter de nouveau à ébullition. Incorporer l'huile de sésame et saler. Réduire le feu et laisser mijoter 10 minutes.

4. Pendant ce temps, réduire le poisson en purée à l'aide d'une fourchette. Délayer la maïzena dans l'eau en une pâte homogène.

5. Ajouter la pâte de maïzena à la soupe et cuire sans cesser de remuer jusqu'à épaississement. Ajouter le poisson et cuire 2 à 3 minutes, jusqu'à ce que la soupe soit bien chaude.

6. Rectifier l'assaisonnement, puis répartir la soupe dans des bols chauds. Parsemer d'oignons verts et servir immédiatement.

Pour 6 personnes

650 g de filets de bar
ou de daurade, sans la peau

2 cuil. à café de vin de riz
chinois ou de xérès sec

1 morceau de gingembre frais
de 2 cm, finement émincé

1,3 l de bouillon de légumes
de base

300 g de maïs surgelé

1 cuil. à café d'huile de sésame

2½ cuil. à café de maïzena

3 cuil. à soupe d'eau

2 oignons verts, hachés

sel

42

Soupe de carottes aux moules

1. Réserver 3 carottes et émincer les carottes restantes. Chauffer 4 cuillerées à soupe de beurre dans une casserole, ajouter les carottes émincées et la moitié du sucre, et cuire 5 minutes à feu doux en remuant de temps en temps. Mouiller avec le bouillon, saler et porter à ébullition à feu moyen. Réduire le feu, couvrir et laisser mijoter 25 minutes en remuant de temps en temps.

2. Pendant ce temps, hacher finement les carottes réservées. Chauffer le beurre restant dans une petite casserole, ajouter les carottes et le sucre restant, et cuire 10 minutes à feu doux en remuant de temps en temps. Retirer la casserole du feu.

3. Gratter les moules à l'eau courante et les ébarber. Jeter les moules qui ne se ferment pas au toucher et les moules cassées. Mettre les moules restantes dans une casserole, ajouter le vin et l'ail, et couvrir. Cuire 4 à 5 minutes à feu vif en secouant la casserole, jusqu'à ce que les moules soient ouvertes. Retirer les moules de la casserole, jeter celles qui sont restées fermées et décoquiller les moules restantes. Filtrer le liquide de cuisson dans un chinois doublé d'une étamine et le verser dans une terrine. Retirer du feu la casserole contenant les carottes, laisser tiédir et transférer dans un robot de cuisine. Ajouter le liquide de cuisson des moules et réduire le tout en purée homogène. Reverser la soupe dans la casserole préalablement rincée, saler et poivrer à volonté et réchauffer 3 à 4 minutes à feu doux. Transférer la soupe dans une soupière, ajouter les moules et les carottes hachées, et servir garni de persil et accompagné de petits pains.

Pour 6 personnes

1 kg de carottes

7 cuil. à soupe de beurre

1 cuil. à café de sucre

✳ 1,3 l de bouillon de légumes de base

48 moules

300 ml de vin blanc sec

1 gousse d'ail, grossièrement hachée

sel et poivre

2 cuil. à soupe de persil plat frais haché, en garniture

petits pains complets, en accompagnement

Raffinées

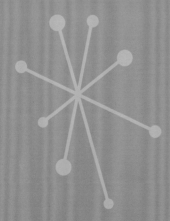

Velouté d'asperges

1. Couper et réserver l'extrémité fibreuse des asperges de façon à obtenir des pointes de 7 à 8 cm de longueur. Verser le bouillon dans une casserole, ajouter les extrémités réservées et porter à ébullition. Réduire le feu et laisser mijoter 15 minutes. Pendant ce temps, couper les pointes d'asperges en tronçons de 2,5 cm.

2. Porter une casserole d'eau salée à ébullition, ajouter la moitié des pointes d'asperges et cuire 7 à 10 minutes, jusqu'à ce qu'elles soient tendres. Égoutter et réserver. Filtrer le bouillon et le réserver. Jeter les extrémités fibreuses des asperges.

3. Faire fondre 3 cuillerées à soupe de beurre dans une grande casserole, ajouter les poireaux et les pointes d'asperges restantes, et cuire 5 minutes à feu doux en remuant de temps en temps. Ajouter le bouillon réservé, saler et poivrer, puis porter à ébullition à feu moyen. Réduire le feu, couvrir et laisser mijoter 10 à 15 minutes, jusqu'à ce que les asperges soient tendres. Retirer la casserole du feu et laisser tiédir. Transférer la soupe dans un robot de cuisine, en plusieurs fois si nécessaire, et réduire en purée homogène.

4. Faire fondre le beurre restant dans une casserole, ajouter la farine et cuire 1 minute sans cesser de remuer. Incorporer la purée et porter à ébullition sans cesser de remuer. Ajouter le lait et cuire quelques minutes supplémentaires sans cesser de remuer. Ajouter la crème fraîche et les pointes d'asperges réservées. Répartir la soupe dans des bols chauds, garnir de caviar et servir immédiatement.

Pour 6 personnes

500 g d'asperges

950 ml de bouillon de légumes de base

5 cuil. à soupe de beurre

130 g de poireaux finement émincés

30 g de farine

150 ml de lait

6 cuil. à soupe de crème fraîche épaisse

sel et poivre

6 cuil. à café de caviar ou d'œufs de lump, en garniture

Soupe d'avocat et ses toasts au guacamole

1. Couper les avocats en deux dans la longueur, ôter le noyau et prélever la chair. Couper la chair en dés, la mettre dans une terrine et l'arroser de jus de citron, puis bien mélanger. Faire fondre le beurre dans une casserole, ajouter les échalotes et cuire 5 minutes à feu doux en remuant de temps en temps, jusqu'à ce qu'elles soient tendres. Ajouter la farine et cuire 1 minute sans cesser de remuer.

2. Retirer la casserole du feu et incorporer progressivement le bouillon. Remettre la casserole sur le feu et porter à ébullition à feu moyen sans cesser de remuer. Ajouter les avocats, réduire le feu et couvrir, puis laisser mijoter 15 minutes.

3. Pendant ce temps, préchauffer le gril. Pour préparer les toasts au guacamole, passer un côté des tranches de pain au gril, retourner les tranches et les badigeonner d'huile, puis remettre au gril. Prélever la chair des avocats, la mettre dans une terrine et la réduire en purée avec le jus de citron vert et le Tabasco, puis saler et poivrer. Répartir le guacamole sur les toasts.

4. Passer la soupe au travers d'un tamis en pressant avec le dos d'une louche. Reverser la soupe dans la casserole préalablement rincée, incorporer la crème fraîche, saler et poivrer. Réchauffer à feu doux en veillant à ne pas laisser bouillir.

5. Répartir la soupe dans des bols chauds, garnir de rondelles de citron vert et arroser d'huile. Servir immédiatement, accompagné de toasts au guacamole.

Pour 6 personnes

3 avocats mûrs

2 cuil. à soupe de jus de citron

6 cuil. à soupe de beurre

6 échalotes, hachées

1½ cuil. à soupe de farine

880 ml de bouillon de légumes de base

180 ml de crème fraîche liquide

1 citron vert, finement émincé

sel et poivre

huile d'olive vierge extra, pour arroser

Toasts au guacamole

6 fines tranches de baguette de la veille

huile d'olive, pour enduire

½ gros avocat mûr, dénoyauté et enduit de jus de citron vert

jus d'un citron vert

¼ à ¾ de cuil. à café de Tabasco

sel et poivre

Soupe de brocoli au roquefort

1 Faire fondre le beurre dans une grande casserole, ajouter les oignons et la pomme de terre, et bien mélanger. Couvrir et cuire 7 minutes à feu doux. Ajouter le brocoli, mélanger et couvrir, puis cuire encore 5 minutes.

2 Mouiller avec le bouillon et porter à ébullition à feu moyen. Réduire le feu, saler et poivrer. Couvrir et laisser mijoter 15 à 20 minutes, jusqu'à ce que les légumes soient tendres.

3 Retirer les légumes du bouillon et les laisser tiédir, puis filtrer le bouillon. Mettre les légumes dans un robot de cuisine, ajouter 1 louche du bouillon filtré et réduire en purée homogène. Moteur en marche, ajouter le bouillon restant progressivement.

4 Reverser la soupe dans la casserole préalablement rincée et réchauffer à feu doux en veillant à ne pas laisser bouillir. Retirer la casserole du feu, ajouter le fromage et mélanger jusqu'à ce qu'il ait fondu et qu'il soit bien incorporé à la soupe. Ajouter le macis et rectifier l'assaisonnement. Répartir dans des bols chauds, garnir de croûtons et servir immédiatement.

Pour 6 personnes

3 cuil. à soupe de beurre

2 oignons blancs, hachés

1 grosse pomme de terre, hachée

750 g de brocoli, coupé en petites fleurettes

1,6 l de bouillon de légumes de base

150 g de roquefort, en dés

1 pincée de macis

sel et poivre

croûtons, en garniture (*voir* page 65)

Soupe de concombre épicée

1. Verser le bouillon dans une casserole, ajouter la citronnelle, 2 cuillerées à soupe de jus de citron vert et les brins de coriandre, et porter à ébullition à feu moyen. Réduire le feu, couvrir et laisser mijoter 25 minutes.

2. Retirer la casserole du feu, filtrer le bouillon et le verser dans une autre casserole. Ajouter le jus de citron vert restant et le concombre, puis saler et poivrer à volonté.

3. Porter de nouveau à ébullition sans cesser de remuer, puis réduire le feu et laisser mijoter 5 minutes.

4. Retirer la casserole du feu, rectifier l'assaisonnement de la soupe et la répartir dans des bols chauds. Répartir les oignons verts, les piments et la coriandre dans les bols et servir immédiatement.

Pour 6 personnes

* 1,2 l de bouillon de légumes de base

2 cuil. à soupe de citronnelle hachée

3½ cuil. à soupe de jus de citron vert

16 brins de coriandre fraîche

175 g de concombre, pelé et coupé en julienne

sel et poivre

Garniture

3 oignons verts, finement émincés

3 piments verts, épépinés et finement hachés

2 cuil. à soupe de coriandre fraîche hachée

Bouillon de légumes à la mode asiatique

1. Verser le bouillon dans une casserole et porter à ébullition à feu moyen. Ajouter le maïs et les carottes, et cuire 3 minutes. Ajouter les pois mangetout, les champignons et le chou, et cuire encore 2 minutes.

2. Ajouter la ciboulette chinoise et la sauce de soja, saler si nécessaire (la sauce de soja est très salée) et poivrer. Laisser mijoter encore 2 à 3 minutes, puis répartir la soupe dans des bols chauds. Garnir d'oignons verts et servir immédiatement.

Pour 6 personnes

* 950 ml de bouillon de légumes de base

50 g de mini-épis de maïs, finement émincés en biais

50 g de mini-carottes, finement émincées en biais

50 g de pois mangetout ou de haricots verts, émincés en biais

50 g de champignons crémini, émincés

85 g de chou chinois ou d'épinards, ciselés

1 cuil. à soupe de ciboulette chinoise hachée

2 cuil. à soupe de sauce de soja claire

sel et poivre

oignons verts finement émincés, en garniture

48

Soupe de légumes et ses boulettes de semoule

1. Pour préparer les boulettes, verser le lait dans une casserole, ajouter l'eau, le sucre, la noix muscade et 1 pincée de sel, porter à ébullition à feu moyen. Réduire le feu, ajouter la semoule en pluie et laisser mijoter sans cesser de remuer jusqu'à épaississement. Retirer la casserole du feu et laisser tiédir 15 minutes. Incorporer l'œuf, couvrir et mettre 30 minutes au réfrigérateur.

2. Pour préparer la soupe, blanchir les panais et les carottes 3 minutes dans une casserole d'eau bouillante, puis égoutter. Faire fondre le beurre dans une grande casserole, ajouter les panais et les carottes, et cuire 5 minutes à feu doux en remuant souvent.

3. Saupoudrer les légumes de sucre et cuire à feu moyen sans cesser de remuer jusqu'à ce qu'ils commencent à caraméliser. Mouiller avec le bouillon, saler et poivrer. Porter à ébullition, réduire le feu et laisser mijoter 20 minutes.

4. Pendant ce temps, les mains farinées, façonner des boulettes avec la préparation à base de semoule. Environ 7 à 10 minutes avant la fin du temps de cuisson, ajouter les boulettes à la soupe et laisser mijoter jusqu'à ce qu'elles remontent à la surface.

5. Rectifier l'assaisonnement et répartir la soupe dans des bols chauds. Garnir de persil et servir immédiatement.

Pour 6 personnes

45 g de panais, en dés

120 g de carottes, en dés

4 cuil. à soupe de beurre

1½ cuil. à café de sucre

1,8 l de bouillon de légumes de base

sel et poivre

3 cuil. à soupe de persil plat frais haché, en garniture

Boulettes de semoule
5 cuil. à soupe de lait

150 ml d'eau

1 cuil. à café de sucre

1 pincée de noix muscade râpée

150 g de semoule

1 gros œuf, légèrement battu

farine, pour saupoudrer

sel

Soupe de légumes façon curry

1 Faire fondre le beurre dans une casserole, ajouter les oignons et l'ail, et cuire 8 à 10 minutes à feu doux en remuant de temps en temps, jusqu'à ce qu'ils soient légèrement dorés. Ajouter le cumin et la coriandre, et cuire 2 minutes sans cesser de remuer. Ajouter la patate douce, les carottes et le panais, et cuire 5 minutes en remuant souvent. Incorporer la pâte de curry et le bouillon et porter à ébullition à feu moyen en remuant de temps en temps. Réduire le feu, couvrir et laisser mijoter 20 à 25 minutes, jusqu'à ce que les légumes soient tendres.

2 Pendant ce temps, pour préparer la garniture, couper le gingembre en fine julienne. Chauffer l'huile dans une petite poêle à feu vif, puis réduire le feu, ajouter le gingembre et cuire 1 minute sans cesser de remuer. Retirer de la poêle à l'aide d'une écumoire et égoutter sur du papier absorbant.

3 Retirer la casserole de soupe du feu et laisser tiédir. Transférer la soupe dans un robot de cuisine, en plusieurs fois si nécessaire, et réduire en purée.

4 Reverser la soupe dans la casserole préalablement rincée, incorporer the lait et cuire 5 minutes en remuant de temps en temps. Incorporer le jus de citron vert et 3 cuillerées à soupe de crème aigre, puis saler et poivrer à volonté.

5 Répartir la soupe dans des bols chauds, ajouter une volute de crème aigre dans chaque bol et garnir de gingembre frit. Servir accompagné de pain naan.

Pour 6 personnes

3 cuil. à soupe de beurre

2 oignons, hachés

2 gousses d'ail, finement hachées

1½ cuil. à café de cumin en poudre

1 cuil. à café de coriandre en poudre

1 patate douce, hachée

2 carottes, hachées

3 panais, hachés

1 cuil. à soupe de pâte de curry

700 ml de bouillon de légumes de base

700 ml de lait

1 cuil. à café de jus de citron vert

6 cuil. à soupe de crème aigre

sel et poivre

pain naan, en accompagnement

Garniture

1 morceau de gingembre frais de 4 cm

2 cuil. à soupe d'huile d'arachide

50

Soupe de tomates au vermicelle à la mode mexicaine

1. Mettre l'oignon, l'ail, les piments et les tomates dans un robot de cuisine et réduire en purée homogène.

2. Chauffer l'huile dans une poêle, ajouter le vermicelle et le faire frire quelques minutes à feu doux jusqu'à ce qu'il soit doré, puis l'égoutter sur du papier absorbant.

3. Verser la purée de légumes dans la poêle et cuire 6 à 8 minutes sans cesser de remuer, jusqu'à épaississement. Retirer la poêle du feu.

4. Transférer la purée de légumes dans une grande casserole et ajouter le bouillon, le ketchup, le concentré de tomate, le vermicelle et la coriandre. Saler et poivrer à volonté, et porter à ébullition. Réduire le feu, couvrir et laisser mijoter 5 minutes, jusqu'à ce que le vermicelle soit tendre.

5. Répartir la soupe dans des bols chauds, garnir de zeste de citron vert et servir immédiatement.

Pour 6 personnes

1 oignon, haché

2 gousses d'ail, hachées

1 à 2 piments rouges, épépinés et hachés

450 g de tomates pelées, épépinées et hachées

3 cuil. à soupe d'huile de maïs

85 g de vermicelle

✳ 1,6 l de bouillon de légumes de base

1 cuil. à soupe de ketchup

1 cuil. à soupe de concentré de tomate

1 cuil. à soupe de coriandre fraîche hachée

sel et poivre

zeste de citron vert fraîchement râpé, en garniture

Soupe asiatique aux shiitakés et aux œufs

① Verser le bouillon dans une casserole, ajouter le kombu et porter à ébullition à feu doux. Retirer immédiatement le kombu. Ajouter les flocons de bonite et porter à ébullition, puis retirer la casserole du feu et laisser reposer. Filtrer le bouillon dans un chinois doublé d'une étamine et le verser dans une casserole propre.

② Pendant ce temps, ôter les pieds des champignons et émincer les chapeaux.

③ Porter le bouillon à ébullition, réduire le feu et ajouter les champignons. Laisser mijoter 2 à 3 minutes, jusqu'à ce qu'ils soient *al dente*. Incorporer la sauce de soja et le saké, et saler à volonté.

④ À feu moyen, verser progressivement les œufs battus de façon à ce qu'ils soient bien répartis dans la casserole et à ce qu'ils prennent immédiatement. Laisser mijoter 15 secondes, puis retirer la casserole du feu.

⑤ Casser « l'omelette » et la répartir dans des bols avec la soupe. Garnir d'oignons verts et servir immédiatement.

Pour 6 personnes

✳ 880 ml de bouillon de légumes de base

10 g de kombu (algue marine)

10 g de flocons de bonite

6 champignons shiitakés

1 cuil. à soupe de sauce de soja japonaise

2 cuil. à café de saké ou de vin blanc sec

2 gros œufs, légèrement battus

sel

oignons verts finement émincés, en garniture

52

Soupe au chou chinois et aux œufs

1. Verser le bouillon dans une casserole et ajouter le vin de riz, la sauce de soja et l'huile de sésame. Mettre le gingembre dans un presse-ail, en exprimer le jus et le verser dans la casserole. Ajouter le chou chinois et porter à ébullition, puis réduire le feu et laisser mijoter 3 à 4 minutes.

2. À feu moyen, verser progressivement les œufs battus au centre de la soupe en filet continu, laisser mijoter 2 secondes et séparer les œufs en filaments. Saler et poivrer à volonté, répartir dans des bols chauds et servir.

Pour 6 personnes

- 950 ml de bouillon de légumes de base
- 3 cuil. à soupe de vin de riz chinois ou de xérès sec
- 3 cuil. à soupe de sauce de soja claire
- 1 cuil. à café d'huile de sésame
- 1 morceau de gingembre frais de 1 cm, finement émincé
- 6 feuilles de chou chinois (bok choy), ciselées
- 2 œufs, battus
- sel et poivre

Bouillon à l'ail

① Écraser les gousses d'ail avec le plat de la lame d'un couteau, puis ôter la peau. Mettre les gousses d'ail dans une casserole et ajouter la feuille de laurier, les clous de girofle, les grains de poivre, le safran, les brins de persil, les brins de cerfeuil, les brins de thym, les feuilles de sauge et l'huile d'olive.

② Ajouter le bouillon de légumes et porter à ébullition, puis réduire le feu, couvrir et laisser mijoter 40 minutes.

③ Retirer la casserole du feu, filtrer le bouillon et le verser dans une soupière. Saler et poivrer à volonté, garnir de persil et servir accompagné de petits pains et de parmesan.

Pour 6 personnes

2 têtes d'ail, séparées en gousses

1 feuille de laurier

3 clous de girofle

3 grains de poivre noir

½ cuil. à café de pistils de safran

2 brins de persil plat frais

2 brins de cerfeuil frais

4 brins de thym frais

16 feuilles de sauge fraîche

1½ cuil. à soupe d'huile d'olive

1,8 l de bouillon de légumes de base

2 cuil. à soupe de persil plat frais haché, en garniture

sel et poivre

Accompagnement
petits pains complets

copeaux de parmesan frais

Soupe aigre-piquante

1. Verser le bouillon dans une casserole et ajouter les feuilles de lime kaffir, la citronnelle, la moitié des piments, la moitié des oignons verts et l'ail. Porter à ébullition, réduire le feu et laisser mijoter 30 minutes.

2. Retirer la casserole du feu, filtrer le bouillon et le reverser dans la casserole préalablement rincée.

3. Remettre la casserole sur le feu et incorporer le jus de citron vert, le sucre et la coriandre, puis les piments et les oignons verts restants. Porter de nouveau à ébullition, réduire le feu et laisser mijoter 5 minutes. Ajouter le tofu et les carottes, et laisser mijoter encore 4 à 5 minutes. Servir immédiatement.

Pour 6 personnes

1,3 l de bouillon de légumes de base

6 feuilles de lime kaffir fraîches ou séchées

3 tiges de citronnelle, coupées en tronçons de 4 cm

3 piments rouges frais, épépinés et émincés

6 oignons verts, finement émincés

3 gousses d'ail, finement émincées

6 cuil. à soupe de jus de citron vert

2 cuil. à café de sucre

2 cuil. à soupe de coriandre fraîche hachée

350 g de tofu ferme, finement émincé

2 carottes, finement émincées

sel

Soupe asiatique aux travers de porc et aux pickles

1. Chauffer l'huile dans une petite poêle ou un wok. Ajouter l'ail et faire sauter quelques minutes, jusqu'à ce qu'il soit doré. Transférer sur une assiette et réserver.

2. Verser le bouillon dans une casserole et porter à ébullition à feu moyen. Ajouter la viande et porter de nouveau à ébullition, puis réduire le feu, couvrir et laisser mijoter 15 minutes, jusqu'à ce qu'elle soit tendre.

3. Pendant ce temps, mettre les nouilles dans une terrine, couvrir d'eau chaude et laisser tremper 10 minutes, jusqu'à ce qu'elles soient tendres. Bien égoutter.

4. Ajouter les nouilles et les pickles à la soupe et porter de nouveau à ébullition. Incorporer la sauce de poisson et le sucre, poivrer à volonté et répartir dans des bols chauds. Garnir d'ail et de piments, et servir immédiatement.

Pour 6 personnes

1 cuil. à soupe d'huile d'arachide

3 gousses d'ail, finement émincées

1,2 l de bouillon de légumes de base

500 g de travers de porc

85 g de nouilles de riz

280 g de pickles thaïlandais ou chinois, bien rincés et grossièrement hachés

2 cuil. à soupe de sauce de poisson thaïlandaise

½ cuil. à café de sucre

poivre

1 piment rouge et 1 piment vert, épépinés et finement émincés, en garniture

56

Soupe de nouilles au poulet

1. Porter une casserole d'eau à ébullition, ajouter les nouilles et cuire selon les instructions figurant sur l'emballage. Égoutter, rafraîchir à l'eau courante et laisser reposer dans un bol d'eau.

2. Chauffer l'huile dans une grande casserole, ajouter les oignons verts et le lard, et cuire 5 minutes à feu doux en remuant de temps en temps, jusqu'à ce que les oignons verts soient tendres et que le lard commence à se colorer.

3. Ajouter l'estragon et le poulet et cuire 8 minutes à feu moyen en remuant souvent, jusqu'à ce que le poulet soit uniformément doré.

4. Mouiller avec le vin et cuire 2 minutes, jusqu'à ce que l'alcool se soit évaporé. Ajouter juste assez de bouillon pour couvrir la viande, réduire le feu et couvrir. Laisser mijoter 20 à 30 minutes, jusqu'à ce que le poulet soit tendre.

5. Ajouter le bouillon restant, saler et poivrer. Porter à ébullition, ajouter les nouilles et les réchauffer brièvement. Répartir la soupe dans des bols chauds et servir immédiatement accompagné de pain frais et de parmesan.

Pour 6 personnes

175 g de nouilles aux œufs

2 cuil. à soupe d'huile d'olive

100 g d'oignons verts hachés

4 tranches de lard, hachées

2 cuil. à café d'estragon frais haché

6 pilons de poulet, désossés et sans la peau, en dés

150 ml de vin blanc sec

1,2 l de bouillon de légumes de base

sel et poivre

Accompagnement
parmesan râpé
pain frais

Soupe de nouilles au crabe

1. Porter une casserole d'eau à ébullition, ajouter les nouilles et cuire selon les instructions figurant sur l'emballage. Égoutter, rafraîchir à l'eau courante et laisser reposer dans un bol d'eau.

2. Chauffer l'huile dans une grande casserole, ajouter le céleri, les échalotes et les carottes, et cuire 5 minutes à feu doux en remuant de temps en temps, jusqu'à ce que les légumes soient tendres.

3. Mouiller avec le vermouth et cuire 2 minutes à feu moyen, jusqu'à ce que l'alcool se soit évaporé. Mouiller avec le bouillon et porter à ébullition, puis réduire le feu et laisser mijoter 10 minutes.

4. Pendant ce temps, émietter la chair de crabe et ôter les restes éventuels de cartilage. Égoutter les nouilles et les ajouter dans la casserole. Incorporer la chair de crabe, l'extrait d'anchois et le jus de citron. Saler et poivrer à volonté. Laisser mijoter quelques minutes de façon à bien réchauffer le tout, puis répartir la soupe dans des bols chauds, garnir de persil et servir immédiatement.

Pour 6 personnes

150 g de nouilles aux œufs

3 cuil. à soupe d'huile d'arachide

4 échalotes, hachées

2 carottes, hachées

2 branches de céleri, hachées

6 cuil. à soupe de vermouth sec

1,8 l de bouillon de légumes de base

175 g de chair de crabe blanche, décongelée le cas échéant

quelques gouttes d'extrait d'anchois

1 cuil. à soupe de jus de citron

sel et poivre

persil plat frais haché, en garniture

Bisque de crevettes

1. Faire fondre le beurre dans une casserole, ajouter l'oignon, les carottes, le céleri et le laurier, et cuire 8 à 10 minutes à feu doux en remuant de temps en temps, jusqu'à ce que le tout soit doré. Ajouter les crevettes et cuire 4 à 5 minutes à feu moyen en remuant de temps en temps, jusqu'à ce qu'elles soient roses.

2. Mouiller avec le vin et le cognac, et cuire 4 à 5 minutes, jusqu'à ce que l'alcool se soit évaporé et que les crevettes soient cuites. Retirer les crevettes de la casserole à l'aide d'une écumoire et laisser tiédir.

3. Ajouter les tomates, le concentré de tomate, le persil et le bouillon dans la casserole et porter à ébullition. Pendant ce temps, décortiquer les crevettes en réservant les parures. Ajouter les parures dans la casserole, réduire le feu et laisser mijoter 30 minutes. Déveiner les crevettes et les hacher.

4. Retirer la casserole du feu, ajouter les crevettes et laisser tiédir. Transférer la soupe dans un robot de cuisine, en plusieurs fois si nécessaire, et mixer. Filtrer la soupe en pressant avec le dos d'une louche pour extraire tout le liquide au-dessus de la casserole préalablement rincée. Porter à ébullition, réduire le feu et incorporer la crème fraîche, le jus de citron et le piment de Cayenne. Rectifier l'assaisonnement et chauffer 1 à 2 minutes en veillant à ne pas laisser la soupe bouillir. Répartir dans des bols chauds, napper de crème fraîche épaisse et saupoudrer de piment de Cayenne. Servir accompagné de pain frais.

Pour 6 personnes

6 cuil. à soupe de beurre

1 petit oignon, haché

2 petites carottes, hachées

1 branche de céleri, hachée

2 feuilles de laurier

650 g de crevettes non décortiquées

3 cuil. à soupe de cognac

120 ml de vin blanc sec

650 g de tomates, hachées

1½ cuil. à café de concentré de tomate

2 brins de persil frais

2,5 l de bouillon de légumes de base

6 cuil. à soupe de crème fraîche épaisse, un peu plus pour la garniture

1 cuil. à soupe de jus de citron

1 pincée de piment de Cayenne ou 1 trait de Tabasco, un peu plus pour décorer

sel et poivre

pain frais, en accompagnement

Froides

59

Soupe d'avocat al fresco

1. Couper les avocats en deux, ôter le noyau et prélever la chair à l'aide d'une petite cuillère.

2. Mettre la chair d'avocat, le jus de citron, le bouillon, l'échalote et la sauce pimentée à l'ail dans un robot de cuisine et réduire en purée homogène. Transférer la purée dans une terrine, ajouter la crème fraîche et battre à l'aide d'un fouet. Saler et poivrer à volonté.

3. Couvrir hermétiquement de film alimentaire et mettre au moins 3 heures au réfrigérateur. Avant de servir, remuer et rectifier l'assaisonnement. Répartir la soupe dans des bols, garnir de brins de cresson et servir immédiatement.

Pour 6 personnes

2 avocats

1 cuil. à soupe de jus de citron

950 ml de bouillon de légumes de base

1 échalote, hachée

1 trait de sauce pimentée à l'ail

150 g de crème fraîche épaisse

sel et poivre

brins de cresson, en garniture

60

Soupe de fèves

1. Verser le bouillon dans une casserole et le porter à ébullition. Réduire le feu, ajouter les fèves et cuire 7 minutes, jusqu'à ce qu'elles soient juste tendres.

2. Retirer la casserole du feu et laisser tiédir. Transférer dans un robot de cuisine, en plusieurs fois si nécessaire, et réduire en purée. Passer la purée au chinois de façon à ôter la peau des fèves.

3. Incorporer le jus de citron et la sarriette, puis saler et poivrer à volonté. Laisser refroidir complètement, couvrir de film alimentaire et mettre au moins 3 heures au réfrigérateur.

4. Pour servir, remuer la soupe et rectifier l'assaisonnement. Transférer dans des bols et garnir de yaourt et de menthe.

Pour 6 personnes

* 880 ml de bouillon de légumes de base

680 g de jeunes fèves écossées

3 cuil. à soupe de jus de citron

2 cuil. à soupe de sarriette fraîche hachée

6 cuil. à soupe de yaourt nature, froid

sel et poivre

feuilles de menthe fraîche ou fleurs de marjolaine, en garniture

Soupe de concombre à la menthe

1. Verser le bouillon dans une casserole, ajouter les oignons verts et porter à ébullition. Réduire le feu et laisser mijoter 10 minutes. Réserver un peu de concombre pour la garniture et ajouter le reste dans la casserole avec les brins de menthe. Laisser mijoter 20 minutes, retirer la casserole du feu et laisser tiédir.

2. Jeter les brins de menthe. Transférer le contenu de la casserole dans un robot de cuisine et réduire en purée. Reverser la soupe dans la casserole préalablement rincée et réchauffer à feu doux.

3. Délayer la maïzena dans l'eau de façon à obtenir une pâte homogène et ajouter dans la casserole. Porter à ébullition sans cesser de remuer, puis laisser mijoter quelques minutes sans cesser de remuer jusqu'à épaississement.

4. Incorporer la crème fraîche, puis saler et poivrer à volonté. Retirer la casserole du feu et incorporer quelques gouttes de colorant de façon à donner une jolie couleur verte à la soupe. Couvrir et laisser refroidir 3 heures au réfrigérateur.

5. Répartir la soupe dans des bols, garnir de concombre et de menthe fraîche, et arroser d'huile. Servir accompagné de pain pita chaud.

Pour 6 personnes

✳ 1,3 l de bouillon de légumes de base

6 oignons verts, hachés

2 concombres, pelés, épépinés et coupés en dés

3 brins de menthe fraîche

1½ cuil. à soupe de maïzena

3 cuil. à soupe d'eau

5 cuil. à soupe de crème fraîche épaisse

colorant alimentaire vert (facultatif)

sel et poivre

feuilles de menthe fraîche, en garniture

huile d'olive vierge extra, pour arroser

pain pita chaud, en accompagnement

Soupe de concombre au curry

1. Fouetter la crème fraîche avec 250 g de yaourt, la poudre de curry et le piment de Cayenne de façon à bien mélanger le tout.

2. Incorporer l'oignon, les concombres, la coriandre et le bouillon, puis saler et poivrer à volonté. Couvrir de film alimentaire et mettre au réfrigérateur au moins 3 heures. Réserver le yaourt restant au réfrigérateur.

3. Pour servir, remuer la soupe et rectifier l'assaisonnement. Répartir la soupe dans des bols, garnir du yaourt restant et de brins de coriandre fraîche, et servir accompagné de pain naan à l'ail.

Pour 6 personnes

120 g de crème fraîche

350 g de yaourt nature

1 à 1½ cuil. à café de poudre de curry

1 pincée de piment de Cayenne

1 oignon blanc, râpé

2 concombres, pelés, épépinés et coupés en dés

4 cuil. à soupe de coriandre fraîche finement hachée

✳ 300 ml de bouillon de légumes de base

sel et poivre

brins de coriandre fraîche, en garniture

pain naan à l'ail, en accompagnement

63

Soupe de petits pois

1. Verser le bouillon dans une casserole, ajouter l'oignon et l'ail, et porter à ébullition à feu moyen. Réduire le feu et laisser mijoter 15 minutes.

2. Ajouter les petits pois, la menthe, la lavande et le sucre, et porter de nouveau à ébullition à feu moyen. Réduire le feu et laisser mijoter encore 5 à 7 minutes.

3. Retirer la casserole du feu et laisser refroidir complètement. Jeter les brins de menthe et de lavande. Transférer le contenu de la casserole dans un robot de cuisine et réduire en purée homogène.

4. Transférer la soupe dans une terrine et incorporer le jus de citron et la crème aigre, puis saler et poivrer à volonté. Couvrir de film alimentaire et mettre au réfrigérateur au moins 3 heures. Pour servir, bien mélanger, rectifier l'assaisonnement et répartir dans des bols.

Pour 6 personnes

* 880 ml de bouillon de légumes de base
* 1 oignon, finement haché
* 2 gousses d'ail, finement hachées
* 430 g de petits pois surgelés
* 2 brins de menthe fraîche
* 1 brin de lavande fraîche (facultatif)
* ½ cuil. à café de sucre
* 1 cuil. à soupe de jus de citron
* 240 g de crème aigre ou de yaourt nature
* sel et poivre

Soupe d'asperges

1. Couper l'extrémité tendre des asperges et les réserver.
   Détailler la partie restante des asperges en tronçons de 1 cm.

2. Faire fondre le beurre dans une grande casserole, ajouter
   les oignons verts et cuire 5 minutes à feu doux en remuant
   de temps en temps. Ajouter les tronçons d'asperges
   et cuire encore 5 minutes en remuant de temps en temps.

3. Incorporer la farine et cuire 2 minutes sans cesser de remuer.
   Retirer la casserole du feu et incorporer progressivement
   le bouillon. Remettre la casserole sur le feu et porter à ébullition
   à feu moyen sans cesser de remuer. Réduire le feu, saler
   et poivrer, puis laisser mijoter 35 à 40 minutes.

4. Pendant ce temps, porter une casserole d'eau à ébullition,
   ajouter les asperges réservées et cuire 5 à 8 minutes, jusqu'à
   ce qu'elles soient tendres. Les égoutter et les couper en deux.

5. Retirer la casserole de soupe du feu et laisser tiédir. Transférer
   le contenu de la casserole dans un robot de cuisine et réduire
   en purée homogène. Verser la soupe dans une terrine et
   incorporer la crème fraîche, le zeste de citron et les pointes
   d'asperges. Laisser refroidir complètement, puis couvrir de film
   alimentaire et mettre au moins 3 heures au réfrigérateur.

6. Pour servir, remuer la soupe et rectifier l'assaisonnement.
   Répartir dans des bols, ajouter le parmesan et servir
   accompagné de toasts.

Pour 6 personnes

1 kg d'asperges, parées

4 cuil. à soupe de beurre

6 oignons verts, hachés

3 cuil. à soupe de farine

1,5 l de bouillon de légumes
de base

120 ml de crème fraîche

1 cuil. à café de zeste de citron
finement râpé

sel et poivre

Accompagnement
parmesan râpé

toasts

Soupe de carottes à l'orange

1. Faire fondre le beurre dans une grande casserole, ajouter les échalotes et les carottes, et cuire 5 à 8 minutes à feu doux en remuant de temps en temps, jusqu'à ce qu'elles soient tendres.

2. Mouiller avec le bouillon et porter à ébullition à feu moyen. Saler et poivrer, réduire le feu et couvrir, puis laisser mijoter 1 heure.

3. Retirer la casserole du feu et laisser tiédir. Transférer le contenu de la casserole dans un robot de cuisine et réduire en purée homogène.

4. Transférer la soupe dans une terrine et incorporer le jus et le zeste d'orange. Laisser refroidir complètement, couvrir de film alimentaire et mettre au moins 3 heures au réfrigérateur.

5. Pour servir, incorporer la crème fraîche, rectifier l'assaisonnement et répartir dans des bols.

Pour 6 personnes

3 cuil. à soupe de beurre

4 échalotes, hachées

600 g de petites carottes, émincées

950 ml de bouillon de légumes de base

350 ml de jus d'orange

zeste râpé d'une orange

150 ml de crème fraîche liquide, froide

sel et poivre

66

Soupe de betteraves aux œufs

1. Mettre les betteraves et les citrons dans une grande casserole, ajouter le bouillon et porter à ébullition. Réduire le feu et laisser mijoter 20 minutes.

2. Retirer la casserole du feu et laisser tiédir. Transférer le contenu de la casserole dans un robot de cuisine et réduire en purée. Passer la soupe au tamis de façon à ôter les membranes des citrons et laisser refroidir complètement.

3. Pendant ce temps, mettre les œufs, le miel et 1 pincée de sel dans un robot de cuisine et mixer de façon à bien mélanger le tout. Ajouter progressivement la préparation à la soupe sans cesser de remuer.

4. Couvrir de film alimentaire et mettre au réfrigérateur au moins 3 heures. Pour servir, mélanger la soupe et rectifier l'assaisonnement. Répartir dans des bols, garnir de crème aigre et de ciboulette, et arroser de miel.

Pour 6 personnes

650 g de betteraves cuites, pelées et hachées

2 citrons, pelés, épépinés et hachés

1,3 l de bouillon de légumes de base

3 gros œufs

1½ cuil. à soupe de miel, un peu plus pour arroser

sel

Garniture

crème aigre, froide

ciboulette fraîche ciselée

Vichyssoise

1. Faire fondre le beurre dans une grande casserole, ajouter les poireaux et les oignons, et bien mélanger. Couvrir et cuire 8 à 10 minutes à feu doux en remuant de temps en temps, jusqu'à ce qu'ils soient très tendres sans être colorés.

2. Ajouter les pommes de terre, mouiller avec le bouillon et porter à ébullition à feu moyen. Réduire le feu, couvrir et laisser mijoter 25 minutes. Incorporer la crème fraîche, saler et poivrer, puis cuire encore 5 minutes en veillant à ne pas laisser la soupe bouillir.

3. Retirer la casserole du feu et laisser tiédir. Transférer la soupe dans un robot de cuisine et réduire en purée homogène.

4. Verser la soupe dans une terrine et la laisser refroidir complètement. Couvrir de film alimentaire et mettre au moins 3 heures au réfrigérateur.

5. Pour servir, mélanger la soupe et rectifier l'assaisonnement. Répartir dans des bols, garnir de ciboulette ciselée et servir immédiatement.

Pour 6 personnes

3 cuil. à soupe de beurre

550 g de poireaux, finement hachés

1½ oignons, hachés

225 g de pommes de terre, en tranches épaisses

1,3 l de bouillon de légumes de base

350 g de crème fraîche épaisse

sel et poivre

ciboulette fraîche ciselée, en garniture

Soupe de pommes de terre aux poireaux et à la poire

① Verser 3 cuillerées à soupe de bouillon dans un petit bol, incorporer le safran et réserver.

② Faire fondre le beurre dans une casserole, ajouter les poireaux et les pommes de terre, et cuire 5 minutes à feu doux en remuant de temps en temps, jusqu'à ce que les poireaux soient tendres.

③ Ajouter les poires, le bouillon safrané et le bouillon restant, et porter à ébullition à feu moyen en remuant souvent. Réduire le feu, couvrir et laisser mijoter 20 à 25 minutes, jusqu'à ce que le tout soit tendre.

④ Retirer la casserole du feu et laisser tiédir. Transférer la soupe dans un robot de cuisine et réduire en purée homogène.

⑤ Verser la soupe dans une terrine, saler et poivrer à volonté et laisser refroidir complètement. Couvrir de film alimentaire et mettre au moins 3 heures au réfrigérateur.

⑥ Pour servir, remuer la soupe et rectifier l'assaisonnement. Répartir dans des bols, garnir de crème fraîche et de brins de cresson, et servir immédiatement.

Pour 6 personnes

✳ 1,3 l de bouillon de légumes de base

1 pincée de pistils de safran, légèrement pilés

3 cuil. à soupe de beurre

250 g de poireaux finement émincés

100 g de pommes de terre, en dés

3 poires mûres, pelées, évidées et hachées

sel et poivre

Garniture
crème fraîche, froide

brins de cresson

Soupe de fenouil au cidre

① Faire fondre le beurre dans une grande casserole, ajouter l'ail et l'oignon, et cuire 5 minutes à feu doux en remuant de temps en temps, jusqu'à ce qu'ils soient tendres. Ajouter le fenouil et les pommes de terre, et cuire encore 8 à 10 minutes en remuant de temps en temps.

② Mouiller progressivement avec le cidre et cuire 2 minutes, jusqu'à ce que l'alcool se soit évaporé. Ajouter l'anis étoilé, le bouquet garni, le jus de citron et le bouillon, et porter à ébullition à feu moyen. Saler et poivrer à volonté, réduire le feu et laisser mijoter 20 à 25 minutes, jusqu'à ce que les légumes soient tendres.

③ Retirer la casserole du feu et laisser tiédir. Jeter l'anis étoilé et le bouquet garni. Transférer la soupe dans un robot de cuisine et réduire en purée homogène.

④ Transférer la soupe dans une terrine et la laisser refroidir complètement. Couvrir de film alimentaire et mettre au moins 3 heures au réfrigérateur.

⑤ Hacher les frondes de fenouil réservées. Pour servir, incorporer la crème fraîche et rectifier l'assaisonnement. Répartir dans des bols, garnir de rondelles de citron et de frondes de fenouil, et servir immédiatement.

Pour 6 personnes

2 cuil. à soupe de beurre

1 petit oignon, haché

1 petite gousse d'ail, finement hachée

1 gros bulbe de fenouil, frondes réservées, en dés

2 pommes de terre, en dés

300 ml de cidre brut

1 anis étoilé

1 bouquet garni (3 brins de persil frais, 2 brins de thym frais et 1 feuille de laurier, liés ensemble)

2 cuil. à soupe de jus de citron

✳ 300 ml de bouillon de légumes de base

240 g de crème fraîche ou de yaourt nature, froids

6 rondelles de citron

sel et poivre

Soupe à la pomme

1. Réserver 2 pommes. Peler les pommes restantes, les évider et les couper en dés, puis leur ajouter le jus de citron de sorte qu'elles ne noircissent pas.

2. Faire fondre 3 cuillerées à soupe de beurre dans une casserole, ajouter les poireaux et couvrir, puis cuire 8 à 10 minutes à feu doux en remuant de temps en temps, jusqu'à ce qu'ils soient tendres. Ajouter les pommes et cuire encore 5 minutes en remuant de temps en temps. Ajouter les pommes de terre et cuire 5 minutes en remuant de temps en temps. Mouiller avec le bouillon et porter à ébullition à feu moyen. Réduire le feu, couvrir et laisser mijoter 45 à 50 minutes, jusqu'à ce que les poireaux et les pommes soient tendres.

3. Retirer la casserole du feu et laisser tiédir. Transférer la soupe dans un robot de cuisine et réduire en purée homogène. Transférer dans une terrine et incorporer la crème fraîche et la noix muscade, puis saler et poivrer à volonté. Laisser refroidir complètement, couvrir de film alimentaire et mettre au réfrigérateur au moins 3 heures.

4. Pour servir, couper les pommes réservées en dés. Faire fondre le beurre restant dans une poêle, ajouter les pommes et cuire 5 minutes à feu doux en remuant de temps en temps, jusqu'à ce qu'elles soient dorées sans se déliter. Égoutter sur du papier absorbant. Remuer la soupe, rectifier l'assaisonnement et répartir dans des bols. Garnir de pommes grillées et servir.

Pour 6 personnes

1 kg de pommes

2 cuil. à soupe de jus de citron

5 cuil. à soupe de beurre

2 poireaux, émincés

2 pommes de terre, en dés

1,5 l de bouillon de légumes de base

160 g de crème fraîche épaisse

1 pincée de noix muscade râpée

sel et poivre

Soupe de poivrons grillés et ses croûtons à l'ail

1. Préchauffer le gril. Mettre les poivrons sur une plaque et les passer 10 minutes au gril en les tournant souvent, jusqu'à ce que la peau ait grillé. Les transférer dans un sac en plastique à l'aide de pince, fermer le sac et laisser tiédir. Monder les poivrons, les épépiner et hacher grossièrement la chair.

2. Chauffer l'huile dans une casserole, ajouter l'oignon et l'ail, et cuire 5 minutes à feu doux en remuant de temps en temps, jusqu'à ce qu'ils soient tendres. Ajouter les poivrons et les tomates, mélanger et couvrir, puis cuire 8 à 10 minutes en remuant de temps en temps. Mouiller avec le vin et cuire 2 minutes à feu moyen, jusqu'à ce que l'alcool se soit évaporé. Ajouter le sucre et le bouillon, et porter à ébullition. Saler et poivrer, puis réduire le feu et laisser mijoter 30 minutes.

3. Retirer la casserole du feu et laisser tiédir. Transférer la soupe dans un robot de cuisine et réduire en purée homogène. Mettre la soupe dans une terrine et laisser refroidir, puis couvrir de film alimentaire et mettre au réfrigérateur au moins 3 heures.

4. Pour préparer les croûtons, chauffer l'huile dans une poêle, ajouter l'ail et faire revenir 2 minutes à feu doux. Jeter l'ail, mettre le pain dans la poêle et cuire sans cesser de remuer jusqu'à ce qu'il soit doré.

5. Pour servir, remuer la soupe et rectifier l'assaisonnement. Répartir dans des bols, parsemer de croûtons à l'ail et arroser d'huile pimentée. Servir immédiatement.

Pour 6 personnes

3 poivrons rouges

3 cuil. à soupe d'huile d'olive

1 oignon, haché

3 gousses d'ail, finement hachées

1 kg de tomates mûres, pelées, épépinées et concassées

6 cuil. à soupe de vin rouge

1 cuil. à café de sucre

950 ml de bouillon de légumes de base

sel et poivre

huile pimentée, pour arroser

Croûtons à l'ail

3 cuil. à soupe d'huile d'olive

2 gousses d'ail, hachées

3 tranches of pain de la veille, sans la croûte, coupées en dés de 5 mm

Soupe de pois chiches express au sésame

① Chauffer une poêle à fond épais, ajouter les graines de cumin et de coriandre, et cuire quelques minutes à feu doux sans cesser de remuer jusqu'à ce que les arômes se développent. Retirer la poêle du feu, transférer les graines dans un mortier et les réduire en poudre à l'aide d'un pilon.

② Verser le bouillon dans un robot de cuisine, ajouter la pâte de sésame, le jus de citron, l'ail et les épices grillées, et réduire en purée homogène. Verser la soupe dans une terrine, et incorporer la menthe, puis saler et poivrer à volonté. Couvrir de film alimentaire et mettre 1 heure au réfrigérateur.

③ Pour servir, remuer la soupe et rectifier l'assaisonnement. Incorporer les pois chiches et répartir dans des bols, puis garnir de coriandre hachée et arroser d'huile. Servir immédiatement accompagné de pain pita chaud.

Pour 6 personnes

½ cuil. à café de graines de coriandre

1 cuil. à café de graines de cumin

※ 600 ml de bouillon de légumes de base

500 g de pâte de sésame

350 ml de jus de citron

2 gousses d'ail, finement hachées

1 cuil. à soupe de menthe fraîche hachée

200 g de pois chiches en boîte, égouttés et rincés

sel et poivre

coriandre fraîche hachée, en garniture

huile d'olive vierge extra, pour arroser

pain pita chaud, en accompagnement

Gelée de légumes

Chauffer l'huile dans une casserole, ajouter l'oignon et le poireau et couvrir, puis cuire 30 minutes à feu doux en remuant de temps en temps. Ajouter les tomates et les champignons, et cuire 5 minutes. Mouiller avec le bouillon, porter à ébullition et couvrir, puis laisser mijoter 1 heure.

Retirer la casserole du feu et filtrer le bouillon en pressant les légumes avec le dos d'une louche de façon à extraire tout le liquide. Verser le bouillon dans une terrine, ajouter l'extrait de levure et laisser refroidir complètement. Jeter les légumes.

Verser le bouillon froid dans la casserole préalablement rincée et incorporer les blancs d'œufs en battant bien. Porter à ébullition à feu moyen à doux. Lorsque les blancs d'œufs remontent à la surface, réduire le feu et laisser mijoter 1 minute. Retirer la casserole du feu, puis filtrer le bouillon dans un chinois doublé d'une étamine, le verser dans une terrine et laisser refroidir. Verser 150 ml de bouillon dans une casserole, saupoudrer la surface de gélatine et laisser prendre 5 minutes ou suivre les instructions figurant sur l'emballage. Ajouter 1,2 l du bouillon restant et cuire 5 minutes à feu doux en remuant de temps en temps, jusqu'à ce que la gélatine soit dissoute. Laisser refroidir.

Incorporer le Madère, puis saler et poivrer à volonté. Verser la préparation dans une terrine et mettre 4 heures au réfrigérateur, jusqu'à ce que la gelée ait pris. Hacher la gelée, la répartir dans des bols et la garnir de persil. Servir immédiatement.

Pour 6 personnes

1 cuil. à soupe d'huile d'olive

1 petit oignon, finement haché

1 poireau, finement émincé

2 tomates, coupées en deux dans l'épaisseur

225 g de champignons crémini, émincés

1,6 l de bouillon de légumes de base

2 cuil. à café d'extrait de levure

2 blancs d'œufs

15 g de gélatine en poudre

180 ml de Madère ou de xérès demi-sec

sel et poivre

persil plat frais haché, en garniture

Potage de concombre aux crevettes

① Verser le bouillon dans une casserole, ajouter le concombre, les oignons verts et l'aneth, et porter à ébullition. Réduire le feu et laisser mijoter 20 à 25 minutes, jusqu'à ce que les légumes soient tendres.

② Retirer la casserole du feu et laisser tiédir. Transférer la soupe dans un robot de cuisine et réduire en purée homogène.

③ Reverser la soupe dans la casserole préalablement rincée et réchauffer à feu doux. Pendant ce temps, délayer la maïzena dans l'eau, l'incorporer à la soupe et porter à ébullition sans cesser de remuer. Réduire le feu et laisser mijoter 3 minutes, puis retirer du feu. Saler et poivrer à volonté. Verser dans une terrine et laisser refroidir complètement.

④ Incorporer quelques gouttes de colorant vert et ajouter les crevettes. Couvrir de film alimentaire et mettre au moins 3 heures au réfrigérateur.

⑤ Mélanger la soupe et rectifier l'assaisonnement. Répartir dans des bols, napper d'une volute de crème fraîche et servir immédiatement.

Pour 6 personnes

* 1,3 l de bouillon de légumes de base

2 concombres, pelés, coupés en deux dans la longueur, épépinés et émincés

10 oignons verts, hachés

1 cuil. à soupe d'aneth frais haché

5 cuil. à soupe de maïzena

5 cuil. à soupe d'eau

colorant alimentaire vert (facultatif)

85 g de crevettes cuites décortiquées

6 cuil. à soupe de crème fraîche liquide, froide, en garniture

sel et poivre

75

Soupe de tomates aux fruits de mer

1. Verser le bouillon dans une terrine. Ajouter les tomates, le concombre, l'échalote, le vinaigre, le sucre, la moutarde, le Tabasco et les fruits de mer, et bien mélanger le tout. Saler et poivrer à volonté, couvrir de film alimentaire et mettre au réfrigérateur au moins 2 heures.

2. Pour servir, remuer la soupe et rectifier l'assaisonnement. Répartir dans des bols, garnir de croûtons et servir.

Pour 6 personnes

* 700 ml de bouillon de légumes de base

6 tomates mûres, pelées, épépinées et hachées

1 concombre, pelé, coupé en deux dans la longueur, épépiné et haché

1 échalote, hachée

3 cuil. à soupe de vinaigre de xérès

1 cuil. à café de sucre

1½ cuil. à café de moutarde de Dijon

¼ cuil. à café de Tabasco ou 1 pincée de piment de Cayenne

500 g de moules ou d'huîtres fumées

sel et poivre

croûtons, en accompagnement (*voir* page 65)

Velouté de moules

1. Gratter les moules à l'eau courante et les ébarber. Jeter les moules qui ne se ferment pas au toucher et les moules cassées. Mettre les moules restantes dans une casserole et ajouter le bouillon, le vin, l'oignon, le céleri, et le persil. Couvrir, porter à ébullition à feu vif et cuire 3 à 5 minutes en secouant la casserole de temps en temps, jusqu'à ce que les moules soient ouvertes.

2. Retirer la casserole du feu et prélever les moules à l'aide d'une écumoire. Jeter les moules qui sont restées fermées, découquiller les moules restantes et les réserver pour la préparation d'un autre plat.

3. Filtrer la soupe et la verser dans une casserole propre. Ajouter la crème fraîche et le piment de Cayenne, puis saler et poivrer à volonté. Laisser refroidir complètement, couvrir de film alimentaire et mettre au réfrigérateur au moins 3 heures.

4. Pour servir, remuer la soupe et rectifier l'assaisonnement. Répartir dans des bols et servir immédiatement accompagné de pain à l'ail et aux herbes.

Pour 6 personnes

36 moules fraîches

150 ml de bouillon de légumes de base

300 ml de vin blanc sec

¼ d'oignon, finement haché

½ branche de céleri, finement hachée

5 cuil. à soupe de persil plat frais haché

600 g de crème fraîche épaisse

1 pincée de piment de Cayenne ou 1 trait de Tabasco

sel et poivre

pain à l'ail et aux herbes, en accompagnement

Traditionnelles

Borscht — Russie

1. Peler et râper grossièrement 4 betteraves. Faire fondre le beurre dans une casserole, ajouter les oignons et cuire 5 minutes à feu doux en remuant de temps en temps, jusqu'à ce qu'ils soient tendres. Ajouter les betteraves râpées, les carottes et le céleri, et cuire 5 minutes en remuant de temps en temps.

2. Ajouter les tomates, le vinaigre, le sucre, l'ail et le bouquet garni, saler et poivrer. Mouiller avec le bouillon et porter à ébullition à feu moyen. Réduire le feu, couvrir et laisser mijoter 1 h 15.

3. Pendant ce temps, peler et râper les betteraves restantes. Les ajouter avec leur jus dans la casserole et laisser mijoter 10 minutes. Retirer la casserole du feu et laisser reposer 10 minutes.

4. Jeter le bouquet garni. Répartir la soupe dans des bols chauds et garnir de crème aigre, d'aneth haché. Servir immédiatement accompagné de pain de seigle.

Pour 6 personnes

5 betteraves (environ 1 kg)

5 cuil. à soupe de beurre

2 oignons, finement émincés

3 carottes, finement émincées

3 branches de céleri, finement émincées

6 tomates, pelées, épépinées et hachées

1 cuil. à soupe de vinaigre de vin rouge

1 cuil. à soupe de sucre

2 gousses d'ail, finement hachées

1 bouquet garni (3 brins de persil frais, 2 brins de thym frais et 1 feuille de laurier, noués ensemble)

1,3 l de bouillon de légumes de base

sel et poivre

pain de seigle, en accompagnement

Garniture
crème aigre
aneth frais haché

Soupe à l'oignon — France

1. Chauffer l'huile avec le beurre dans une casserole, ajouter les oignons et couvrir, puis cuire 15 minutes à feu très doux en remuant de temps en temps. Retirer le couvercle, augmenter le feu et ajouter l'ail, le sucre et 1 cuillerée à café de sel. Cuire 30 à 40 minutes en remuant souvent, jusqu'à ce que les oignons soient bien dorés.

2. Pendant ce temps, porter le bouillon à ébullition dans une autre casserole. Saupoudrer les oignons de farine et cuire 3 minutes sans cesser de remuer. Mouiller avec le vermouth et cuire 2 minutes sans cesser de remuer, jusqu'à ce que l'alcool se soit évaporé, puis incorporer progressivement le bouillon chaud et porter à ébullition. Écumer la surface, réduire le feu et couvrir, puis laisser mijoter 40 minutes.

3. Pendant ce temps, pour préparer les croûtons, passer les tranches de pain des deux côtés au gril préchauffé, puis les frotter avec l'ail et les garnir de fromage râpé. Passer le tout au gril jusqu'à ce que le fromage ait fondu.

4. Incorporer le cognac, retirer la casserole du feu et rectifier l'assaisonnement. Répartir dans des bols chauds, garnir de croûtons au fromage et servir immédiatement.

Pour 6 personnes

1 cuil. à soupe d'huile d'olive

2 cuil. à soupe de beurre

4 à 5 oignons (environ 650 g), finement émincés

3 gousses d'ail, finement hachées

1 cuil. à café de sucre

2 l de bouillon de légumes de base

2 cuil. à soupe de farine

150 ml de vermouth sec

3 cuil. à soupe de cognac

sel et poivre

Croûtons au fromage
6 tranches de baguette

1 gousse d'ail, coupée en deux

250 g de fromage râpé

Bouillabaisse — France

① Couper les gros filets de poisson en 3 ou 4 morceaux, et laisser les plus petits entiers. Gratter les moules à l'eau courante, les ébarber et jeter celles qui sont cassées ou qui ne se ferment pas au toucher. Verser le bouillon dans une casserole et porter à ébullition. Mettre le safran dans un bol, couvrir d'eau chaude et laisser tremper.

② Mettre les oignons, les poireaux, le céleri, le fenouil, les tomates, l'ail, le zeste d'orange, le piment, le thym, le laurier, les grains de poivre et les clous de girofle dans une grande casserole. Ajouter les filets de poissons à chair ferme, verser la moitié de l'huile d'olive et saler. Ajouter le bouillon, porter à ébullition et couvrir, puis laisser mijoter 8 minutes.

③ Ajouter les filets de poissons à chair plus tendre, l'huile d'olive restante et le safran avec son liquide de trempage. Couvrir et laisser mijoter encore 4 minutes. Ajouter les moules et les langoustines, couvrir et cuire 4 minutes, jusqu'à ce que les moules soient ouvertes et que tous les poissons soient bien cuits. Jeter les moules qui sont restées fermées.

④ Transférer délicatement les poissons, les fruits de mer et les légumes dans un plat de service. Filtrer le bouillon, le verser dans une soupière chaude et rectifier l'assaisonnement. Servir poissons, fruits de mer et légumes avec le bouillon.

Pour 8 personnes

2,25 kg d'un mélange de filets de poissons à chair blanche

450 g de moules

3,5 l de bouillon de légumes de base

½ cuil. à café de pistils de safran

2 oignons, hachés

2 poireaux, partie blanche seulement, hachés

3 branches de céleri, hachées

1 bulbe de fenouil, émincés

2 grosses tomates, mondées et hachées

4 gousses d'ail, hachées

1 lanière de zeste d'orange

1 piment rouge, épépiné et haché

1 brin de thym frais

2 feuilles de laurier

8 grains de poivre noir

2 clous de girofle

240 ml d'huile d'olive

450 g de langoustines cuites

sel et poivre

Bauernsuppe — Allemagne

① Faire fondre le beurre dans une casserole, ajouter la viande et cuire 8 à 10 minutes à feu moyen en remuant souvent, jusqu'à ce qu'elle soit légèrement dorée. Pendant ce temps, porter le bouillon à ébullition dans une autre casserole.

② Ajouter les oignons à la viande, réduire le feu et cuire 5 minutes en remuant souvent, jusqu'à ce qu'ils soient tendres. Ajouter l'ail et cuire encore 2 minutes. Incorporer le paprika et la farine, et cuire 3 à 4 minutes sans cesser de remuer. Incorporer progressivement le bouillon chaud et porter à ébullition. Ajouter le bouquet garni, saler et couvrir, puis laisser mijoter 1 heure en remuant de temps en temps.

③ Ajouter les pommes de terre à la soupe, couvrir et laisser mijoter encore 45 minutes, jusqu'à ce que la viande et les légumes soient tendres.

④ Retirer la casserole du feu et rectifier l'assaisonnement. Jeter le bouquet garni. Répartir la soupe dans des bols chauds, parsemer d'aneth et de fromage frais, et servir immédiatement.

Pour 6 personnes

4 cuil. à soupe de beurre

1 kg de bœuf à braiser, dégraissé et coupé en cubes de 2 cm

2,5 l de bouillon de légumes de base

2 oignons, hachés

1 gousse d'ail, finement hachée

1 cuil. à café de paprika

4 cuil. à soupe de farine

1 bouquet garni (3 brins de persil frais, 2 brins de thym frais, et 1 feuille de laurier, noués ensemble)

3 pommes de terre, en dés

sel

Garniture

2 cuil. à café d'aneth frais haché

60 g de fromage râpé

81

Minestrone — Italie

1. Chauffer l'huile dans une casserole, ajouter l'oignon, l'ail, le céleri et le lard, et cuire 5 à 7 minutes à feu doux en remuant de temps en temps, jusqu'à ce que l'oignon soit tendre et le lard croustillant. Incorporer le chou et cuire encore 5 minutes en remuant souvent.

2. Mouiller avec le vin et cuire 2 minutes à feu moyen, jusqu'à ce que l'alcool se soit évaporé. Ajouter le bouillon et les haricots cannellini, et porter à ébullition. Réduire le feu, couvrir et laisser mijoter 2 h 30.

3. Ajouter les tomates, le concentré de tomate, le sucre, les carottes, les petits pois, les haricots verts, les pâtes et les fines herbes, puis saler et poivrer à volonté. Laisser mijoter 20 à 25 minutes, jusqu'à ce que les pâtes soient cuites et que les légumes soient tendres.

4. Répartir la soupe dans des bols chauds et servir immédiatement, accompagné de parmesan.

Pour 6 personnes

2 cuil. à soupe d'huile d'olive

1 oignon, haché

2 gousses d'ail, hachées

2 branches de céleri, hachées

4 tranches de lard, en dés

½ petit chou blanc, ciselé

150 ml de vin rouge

✳ 1,8 l de bouillon de légumes de base

65 g de haricots cannellini secs, mis à tremper une nuit dans de l'eau froide et égouttés

4 tomates olivettes, pelées, épépinées et hachées

2 cuil. à soupe de concentré de tomate

2 cuil. à café de sucre

2 carottes, en dés

75 g de petits pois frais écossés

55 g de haricots verts, émincés

50 g de ziti ou autres pâtes

2 cuil. à soupe de fines herbes fraîches hachées

sel et poivre

parmesan, en accompagnement

Fabada — Espagne

1. Porter le bouillon à ébullition dans une casserole, ajouter les haricots, l'oignon et l'ail, et porter de nouveau à ébullition. Réduire le feu, couvrir et laisser mijoter 1 heure, jusqu'à ce que les haricots soient tendres.

2. Pendant ce temps, mettre le safran dans un bol, couvrir d'eau et laisser tremper.

3. Ajouter les saucisses, le lard, le jambon, le thym et le safran avec son eau de trempage dans la casserole, puis saler et poivrer à volonté. Bien mélanger, couvrir et laisser mijoter encore 30 à 35 minutes. Répartir dans des bols chauds et servir immédiatement.

Pour 6 personnes

- 1,8 l de bouillon de légumes de base
- 250 g de haricots de Lima secs, mis à tremper une nuit, et égouttés
- 250 g de haricots blancs secs (fabes de la granja) ou de haricots cannellini secs, mis à tremper une nuit et égouttés
- 1 oignon, haché
- 2 gousses d'ail, finement hachées
- 1 pincée de pistils de safran
- 125 g de morcilla ou autre saucisse à base de sang de porc, émincée
- 2 chorizos, émincés
- 4 tranches of lard, en dés
- 60 g de jambon fumé, en dés
- 1 pincée de thym séché
- sel et poivre

Caldo verde — Portugal

1. Chauffer 2 cuillerées à soupe d'huile d'olive dans une grande casserole, ajouter l'oignon et l'ail, et cuire 5 minutes à feu doux en remuant de temps en temps, jusqu'à ce qu'ils soient tendres. Ajouter les pommes de terre et cuire 3 minutes sans cesser de remuer.

2. Mouiller avec le bouillon et porter à ébullition à feu moyen. Réduire le feu, couvrir et cuire 10 minutes.

3. Pendant ce temps, chauffer l'huile restante dans une poêle, ajouter le chorizo et cuire quelques minutes à feu doux en remuant de temps en temps, jusqu'à ce qu'il ait rendu toute la matière grasse. Retirer de la poêle à l'aide d'une écumoire et égoutter sur du papier absorbant.

4. Retirer la casserole du feu et réduire les pommes de terre en purée à l'aide d'un presse-purée. Remettre la casserole sur le feu, ajouter le chou et porter de nouveau à ébullition. Réduire le feu et laisser mijoter 5 à 6 minutes, jusqu'à ce que le chou soit tendre.

5. Retirer la casserole du feu et écraser de nouveau le tout. Incorporer le chorizo, puis saler et poivrer à volonté. Répartir dans des bols chauds, arroser d'huile d'olive et servir immédiatement.

Pour 6 personnes

3 cuil. à soupe d'huile d'olive, un peu plus pour arroser

1 oignon, finement haché

2 gousses d'ail, finement hachées

500 g de pommes de terre, en dés

1,6 l de bouillon de légumes de base

125 g de chorizo ou autre saucisse épicée, finement émincées

450 g de chou de Milan

sel et poivre

84

London particular
— Angleterre

1. Couper en dés 6 tranches de lard. Faire fondre le beurre dans une casserole, ajouter les dés de lard et cuire 4 à 5 minutes à feu doux en remuant souvent. Ajouter les oignons, le céleri et les carottes, et cuire encore 5 minutes en remuant souvent.

2. Ajouter les pois cassés, mouiller avec le bouillon et porter à ébullition à feu moyen. Réduire le feu, couvrir et laisser mijoter 1 heure.

3. Pendant ce temps, préchauffer le gril. Passer le lard restant 2 à 4 minutes de chaque côté au gril, jusqu'à ce qu'à ce qu'il soit croustillant. Laisser tiédir et émietter.

4. Retirer la casserole du feu, puis saler et poivrer à volonté. Répartir dans des bols chauds, garnir de lard grillé et de croûtons, et servir immédiatement.

Pour 6 personnes

8 tranches de lard fumé épaisses

2 cuil. à soupe de beurre

2 oignons, hachés

2 carottes, hachées

2 branches de céleri, hachées

100 g de pois cassés jaunes secs, mis à tremper dans de l'eau 1 à 2 heures et égouttés

1,8 l de bouillon de légumes de base

sel et poivre

croûtons, en garniture (*voir* page 65)

Cullen skink — Écosse

1. Mettre le poisson, l'oignon et le persil dans une casserole, ajouter le bouillon et porter à ébullition en écumant la surface. Réduire le feu, couvrir et laisser mijoter 10 minutes, jusqu'à ce que le poisson s'effeuille.

2. Retirer la casserole du feu et en retirer le poisson à l'aide d'une spatule. Ôter la peau et les arêtes, et émietter la chair. Filtrer le bouillon et le reverser dans la casserole rincée.

3. Remettre la casserole sur le feu, ajouter les pommes de terre et porter de nouveau à ébullition. Réduire le feu et laisser mijoter 20 à 30 minutes, jusqu'à ce qu'elles soient tendres.

4. Retirer la casserole du feu. Transférer les pommes de terre dans une terrine à l'aide d'une écumoire, ajouter le beurre et écraser en purée.

5. Remettre la casserole sur le feu, ajouter le lait et porter à ébullition. Incorporer progressivement la préparation aux pommes de terre en battant à l'aide d'un fouet. Ajouter délicatement le poisson, puis saler et poivrer à volonté. Répartir le tout dans des bols chauds, parsemer de persil haché et servir immédiatement accompagné de pain frais.

Pour 6 personnes

500 g de poisson
à chair blanche fumé
(traditionnellement
du haddock)

1 gros oignon, haché

4 brins de persil frais

1,3 l de bouillon de légumes
de base

750 g pommes de terre,
en morceaux

4 cuil. à soupe de beurre

880 ml de lait

sel et poivre

persil plat frais haché,
en garniture

pain frais, en accompagnement

Soupe de moules — Irlande

1. Gratter les moules à l'eau courante et les ébarber, puis jeter celles qui sont cassées ou qui ne se ferment pas au toucher. Répartir l'oignon, le persil et le laurier dans le fond d'une casserole, déposer les moules dessus et poivrer. Ajouter le cidre, couvrir et porter à ébullition à feu vif. Cuire 4 à 5 minutes en secouant la casserole de temps en temps, jusqu'à ce que les moules se soient ouvertes. Retirer la casserole du feu, prélever les moules et jeter celles qui sont restées fermées. Décoquiller les moules et les réserver. Filtrer le liquide de cuisson, le verser dans une terrine et le réserver.

2. Faire fondre le beurre dans une casserole, ajouter le céleri et les poireaux, et cuire 8 minutes à feu doux en remuant de temps en temps, jusqu'à ce qu'ils soient légèrement dorés. Pendant ce temps, verser le lait dans une autre casserole et porter à frémissement, puis retirer du feu.

3. Saupoudrer les légumes de farine et cuire 2 minutes sans cesser de remuer. Incorporer progressivement le lait, puis le bouillon, et porter le tout à ébullition à feu moyen sans cesser de remuer. Réduire le feu et laisser mijoter 15 minutes.

4. Passer la soupe, la reverser dans la casserole préalablement rincée et ajouter le liquide de cuisson réservé, la noix muscade, les graines de fenouil et les moules, puis saler et poivrer. Incorporer la crème fraîche et réchauffer à feu doux en veillant à ne pas laisser bouillir. Répartir dans des bols chauds et servir accompagné de pain complet.

Pour 6 personnes

48 moules

1 oignon, finement haché

2 cuil. à soupe de persil plat frais haché

2 feuilles de laurier

240 ml de cidre brut

4 cuil. à soupe de beurre

2 branches de céleri, hachées

2 poireaux, finement émincés

400 ml de lait

40 g de farine

600 ml de bouillon de légumes de base

1 pincée de noix muscade râpée

½ cuil. à café de graines de fenouil

240 g de crème fraîche épaisse

sel et poivre

pain complet, en accompagnement

87

Avgolemono — Grèce

1. Verser le bouillon dans une casserole et porter à ébullition. Ajouter le riz, porter de nouveau à ébullition et réduire le feu, puis laisser mijoter 15 minutes, jusqu'à ce que le riz soit tendre.

2. Pendant ce temps, battre les œufs dans un bol et incorporer progressivement le jus de citron sans cesser de battre. Ajouter une louche de bouillon, bien mélanger et incorporer le tout dans la casserole. Cuire 2 à 3 minutes à feu doux en tournant régulièrement la casserole de sorte que les œufs et la sauce au citron se répartissent uniformément dans la soupe.

3. Retirer la casserole du feu, poivrer à volonté et répartir dans des bols chauds. Garnir de persil et servir immédiatement.

Pour 6 personnes

1,8 l de bouillon de légumes de base

100 g de riz long grain

4 œufs

120 ml de jus de citron

poivre

persil plat frais haché, en garniture

Harira — Afrique du nord

1. Chauffer l'huile d'olive dans une grande casserole, ajouter l'agneau et cuire 8 à 10 minutes à feu moyen en remuant souvent, jusqu'à ce qu'il soit uniformément doré. Réduire le feu, ajouter l'oignon et cuire 5 minutes en remuant souvent, jusqu'à ce qu'il soit tendre.

2. Ajouter les pois chiches, mouiller avec le bouillon et porter à ébullition à feu moyen. Réduire le feu, couvrir et laisser mijoter 2 heures.

3. Incorporer les lentilles, les tomates, le poivron, le concentré de tomate, le sucre, la cannelle, le curcuma, le gingembre, la coriandre et le persil, et cuire encore 15 minutes. Ajouter le riz et laisser mijoter 15 minutes supplémentaires, jusqu'à ce qu'il soit cuit.

4. Saler et poivrer à volonté et retirer la casserole du feu. Répartir la soupe dans des bols chauds, parsemer de coriandre et de persil, et servir immédiatement.

Pour 6 personnes

2 cuil. à soupe d'huile d'olive

225 g de viande d'agneau, en cubes

1 oignon, haché

100 g de pois chiches secs, mis à tremper une nuit dans de l'eau et égouttés

1,6 l de bouillon de légumes de base

100 g de lentilles corail

2 grosses tomates, mondées, épépinées et coupées en dés

1 poivron rouge, coupé en dés

1 cuil. à soupe de concentré de tomate

1 cuil. à café de sucre

1 cuil. à café de cannelle

½ cuil. à café de curcuma

½ cuil. à café de gingembre en poudre

2 cuil. à soupe de coriandre et de persil plat frais hachés, un peu plus pour la garniture

60 g de riz long grain

sel et poivre

Eshkaneh — Iran

1. Faire fondre le beurre dans une grande casserole, ajouter les oignons et cuire 7 à 8 minutes à feu doux en remuant de temps en temps, jusqu'à ce qu'ils commencent à dorer.

2. Saupoudrer de farine et cuire encore 2 minutes sans cesser de remuer. Retirer la casserole du feu et incorporer progressivement le bouillon. Remettre la casserole sur le feu et porter à ébullition à feu moyen sans cesser de remuer. Ajouter le curcuma, le jus de citron, le sucre et la coriandre, puis saler et poivrer généreusement. Réduire le feu, couvrir et laisser mijoter 10 minutes.

3. Battre l'œuf dans un bol, l'incorporer à la soupe en battant bien et retirer la casserole du feu. Répartir dans des bols chauds et servir immédiatement accompagné de pain arabe.

Pour 6 personnes

4 cuil. à soupe de beurre

4 oignons, finement émincés

2 cuil. à soupe de farine

1,2 l de bouillon de légumes de base

1 cuil. à café de curcuma

120 ml de jus de citron

1 cuil. à soupe de sucre en poudre

1 cuil. à soupe de coriandre fraîche hachée

1 œuf

sel et poivre

galettes de pain arabe, en accompagnement

90

Soupe de wontons — Chine

1. Mélanger le porc, les crevettes, l'oignon vert, le gingembre, le sucre, le vin de riz et la moitié de la sauce de soja dans une terrine, couvrir et laisser mariner 20 minutes.

2. Déposer 1 cuillerée à café de la préparation au centre de chaque carré de pâte. Humecter les bords, superposer les coins de façon à obtenir un triangle et presser de façon à souder le wonton.

3. Porter le bouillon à ébullition dans une grande casserole, ajouter les wontons et cuire 5 minutes. Incorporer la sauce de soja restante et retirer la casserole du feu. Répartir la soupe et les wontons dans des bols chauds, garnir de ciboulette et servir immédiatement.

Pour 6 personnes

175 g de porc ou de poulet, hachés

55 g de crevettes décortiquées, hachées

1 oignon vert, finement haché

1 cuil. à café de gingembre frais finement haché

1 cuil. à café de sucre

1 cuil. à soupe de vin de riz chinois ou de xérès sec

2 cuil. à soupe de sauce de soja claire

24 carrés de pâte à wontons prêts à l'emploi

✳ 880 ml de bouillon de légumes de base

ciboulette fraîche ciselée, en garniture

Soupe aux trois trésors — Chine

1. Mélanger le poulet et les crevettes dans une terrine. Délayer la maïzena dans l'eau et l'ajouter dans la terrine avec le blanc d'œuf et 1 pincée de sel. Bien mélanger le tout.

2. Porter le bouillon à ébullition dans une casserole à feu moyen, ajouter le mélange précédent et le jambon, et porter de nouveau à ébullition. Réduire le feu et laisser mijoter 1 minute. Rectifier l'assaisonnement et retirer du feu. Répartir dans des bols chauds, garnir d'oignons verts et servir immédiatement.

Pour 6 personnes

175 g de blancs de poulet, coupés en très fines lanières

175 g de crevettes décortiquées, les plus grosses coupées en deux

1 cuil. à café de maïzena

2 cuil. à café d'eau

1 blanc d'œuf de taille moyenne, légèrement battu

950 ml de bouillon de légumes de base

175 g de jambon rôti au miel, coupé en très fines lanières

sel

oignons verts hachés ou ciboulette fraîche ciselée, en garniture

Soupe aux algues et au miso — Japon

1. Chauffer l'huile dans une casserole. Ajouter l'oignon et l'ail, et cuire 5 minutes à feu doux en remuant de temps en temps, jusqu'à ce qu'ils soient tendres. Pendant ce temps, verser le bouillon dans une autre casserole et le porter à ébullition.

2. Incorporer la pâte de miso, le concentré de tomate, la coriandre et le gingembre dans la première casserole, puis ajouter les carottes et cuire 5 minutes en remuant souvent. Si la préparation attache, incorporer 1 à 2 cuillerées à soupe de bouillon chaud.

3. Ajouter le nori au bouillon, puis incorporer le contenu de la première casserole et laisser mijoter 10 minutes à feu doux. Répartir dans des bols chauds et servir immédiatement, garni de ciboulette fraîche ciselée.

Pour 6 personnes

1 cuil. à soupe d'huile de tournesol

1 gros oignon, finement émincé

2 gousses d'ail, finement hachées

1,8 l de bouillon de légumes de base

1½ cuil. à soupe de pâte de miso rouge

1 cuil. à soupe de concentré de tomate

1 cuil. à café de gingembre en poudre

1 cuil. à café de coriandre en poudre

2 carottes, finement émincées

3 morceaux de nori grillé (algue marine), ciselés en lanières

ciboulette fraîche ciselée, en garniture

Soupe de crabe — Viêtnam

1 Mettre les champignons dans un bol avec l'eau chaude et laisser tremper 20 minutes. Pendant ce temps, hacher la partie blanche des oignons verts et émincer la partie verte en biais. Couper les pointes d'asperges en biais en tronçons de 2 cm. Ôter les éventuels morceaux de cartilage restants de la chair de crabe.

2 Égoutter les champignons en réservant le liquide de trempage et les presser de façon à exprimer l'excédent d'eau. Jeter les pieds et émincer finement les chapeaux. Filtrer le liquide de trempage dans un chinois doublé d'une étamine.

3 Chauffer l'huile dans une grande casserole, ajouter le blanc des oignons verts et l'ail, et faire revenir 2 minutes à feu moyen. Mouiller avec le bouillon et le liquide de trempage filtré, puis ajouter les champignons et porter à ébullition.

4 Incorporer 1 cuillerée à soupe de sauce de poisson, ajouter le vert des oignons et les asperges, et porter de nouveau à ébullition. Réduire le feu et laisser mijoter 5 minutes, puis incorporer délicatement le crabe et la coriandre. Laisser mijoter encore 3 à 4 minutes de façon à bien réchauffer le tout.

5 Retirer la casserole du feu et rectifier l'assaisonnement en ajoutant de la sauce de poisson si nécessaire. Répartir dans des bols chauds et servir immédiatement.

Pour 6 personnes

6 champignons shiitakés déshydratés

350 ml d'eau chaude

5 oignons verts

350 g de pointes d'asperges, parées

750 g de chair de crabe blanche, décongelée le cas échéant

2 cuil. à soupe d'huile d'arachide

3 gousses d'ail, finement hachées

1,8 l de bouillon de légumes de base

1 à 2 cuil. à soupe de sauce de poisson thaïlandaise

3 cuil. à soupe de coriandre fraîche hachée

Laksa — Malaisie

① Décortiquer les crevettes en réservant les parures et les déveiner. Rincer les parures réservées. Chauffer 1 cuillerée à soupe d'huile dans une casserole, ajouter les parures et les faire revenir 2 à 3 minutes, jusqu'à ce qu'elles soient légèrement colorées, puis mouiller avec le bouillon et porter à ébullition. Réduire le feu et laisser mijoter 15 minutes. Filtrer le bouillon dans une terrine et jeter les parures.

② Incorporer les noix de cajou à la pâte de curry. Chauffer l'huile restante dans une casserole, ajouter la pâte et la cuire 4 à 5 minutes à feu doux en remuant souvent. Mouiller avec le bouillon et porter à ébullition à feu moyen, puis réduire le feu, couvrir et laisser mijoter 20 minutes.

③ Pendant ce temps, mettre les nouilles dans un bol, les couvrir d'eau bouillante et les laisser tremper 5 minutes, puis les égoutter. Blanchir les pousses de soja quelques minutes à l'eau bouillante salée et les égoutter. Incorporer le lait de coco dans la casserole et laisser mijoter 2 minutes, puis ajouter les crevettes, le calmar et le sucre. Saler à volonté et laisser mijoter 5 minutes, jusqu'à ce que les crevettes et le calmar soient tendres, puis retirer du feu. Répartir les nouilles et les pousses de soja dans des bols chauds, ajouter la soupe et garnir de coriandre hachée, de lanières de concombre et d'oignons verts. Servir immédiatement.

Pour 6 personnes

350 g de grosses crevettes

6 cuil. à soupe d'huile d'arachide

1,3 l de bouillon de légumes de base

2 cuil. à soupe de pâte de curry panang (très forte) ou de pâte de curry rouge (forte)

30 g de noix de cajou, hachées

250 g de nouilles de riz

300 g de pousses de soja

400 ml de lait de coco en boîte

175 g de calmars parés, incisés et détaillés en losanges

1 cuil. à soupe de sucre roux

sel

Garniture

brins de coriandre fraîche

julienne de concombre

oignons verts hachés

Tom yam goong — Thaïlande

① Décortiquer les crevettes en réservant les parures et les déveiner. Rincer les parures réservées.

② Verser le bouillon dans une casserole, ajouter les parures, la citronnelle, les feuilles de lime kaffir et 1 pincée de sel, et porter à ébullition. Réduire le feu et laisser mijoter 10 minutes. Retirer la casserole du feu, puis filtrer le bouillon et le reverser dans la casserole préalablement rincée.

③ Remettre la casserole sur le feu, ajouter les piments verts et porter de nouveau à ébullition, puis réduire le feu et laisser mijoter encore 10 minutes. Incorporer la sauce de poisson et les crevettes, et laisser mijoter 5 minutes. Ajouter les oignons verts, le jus de citron vert et les piments rouges, et chauffer le tout 1 à 2 minutes.

④ Retirer la casserole du feu et rectifier l'assaisonnement en ajoutant du jus de citron vert, de la sauce de poisson ou du sel si nécessaire. Répartir dans des bols chauds, garnir de coriandre et servir immédiatement accompagné de quartiers de citron vert.

Pour 6 personnes

500 g de grosses crevettes

1,6 l de bouillon de légumes de base

3 tiges de citronnelle, pilées

6 feuilles de lime kaffir, ciselées

3 piments verts, épépinés et finement émincés

3 cuil. à soupe de sauce de poisson thaïlandaise

3 oignons verts, hachés

2 cuil. à soupe de jus de citron vert

2 piments rouges, épépinés et finement émincés

1 cuil. à soupe de coriandre fraîche hachée

sel

quartiers de citron vert, en accompagnement

96

Soupe de poulet au gingembre et au lait de coco — Thaïlande

1. Mettre le poulet, le riz, la citronnelle, l'ail, les piments, les feuilles de lime kaffir, le gingembre et la coriandre dans une casserole, ajouter le bouillon et le lait de coco, et porter à ébullition à feu moyen en remuant de temps en temps. Réduire le feu, couvrir et laisser mijoter 1 heure.

2. Retirer la casserole du feu et laisser tiédir. Jeter la citronnelle et les feuilles de lime kaffir. Transférer la soupe dans un robot de cuisine et réduire en purée.

3. Reverser la soupe dans la casserole préalablement rincée, saler à volonté et ajouter les oignons verts, les mini-épis de maïs et les champignons. Porter de nouveau à ébullition, puis réduire le feu et laisser mijoter 5 minutes.

4. Retirer la casserole du feu. Répartir la soupe dans des bols chauds, garnir de coriandre et de piment rouge hachés, et servir immédiatement.

Pour 6 personnes

400 g de blancs de poulet, coupés en lanières

100 g de riz thaïlandais parfumé

1 tige de citronnelle, pilée

4 gousses d'ail, grossièrement hachées

2 piments verts, épépinés et émincés

4 feuilles de lime kaffir, ciselées

1 morceau de gingembre frais de 2,5 cm, haché

4 cuil. à soupe de coriandre fraîche hachée, un peu plus pour la garniture

1,6 l de bouillon de légumes de base

400 ml de lait de coco en boîte

4 oignons verts, finement émincés

100 g de mini-épis de maïs

115 g de champignons de Paris, coupés en deux

sel

piment rouge et coriandre hachés, en garniture

Soupe de palourdes à la mode de Manhattan — États-Unis

1. Chauffer l'huile dans une casserole, ajouter la viande et cuire 6 à 8 minutes à feu moyen en remuant souvent, jusqu'à ce qu'elle soit dorée. Retirer de la casserole à l'aide d'une écumoire.

2. Mettre l'oignon et le céleri dans la casserole, réduire le feu et cuire 5 minutes en remuant de temps en temps, jusqu'à ce qu'ils soient tendres. Augmenter le feu, ajouter les tomates, les pommes de terre, le thym et le persil, et remettre la viande dans la casserole. Saler, poivrer et mouiller avec le bouillon et le jus de tomates. Porter à ébullition sans cesser de remuer, puis réduire le feu, couvrir et laisser mijoter 15 à 20 minutes, jusqu'à ce que les pommes de terre soient juste tendres.

3. Pendant ce temps, gratter les palourdes à l'eau courante et jeter celles qui sont cassées ou qui ne se ferment pas au toucher. Mettre les palourdes dans une casserole avec le vin, couvrir et cuire 4 à 5 minutes à feu vif en secouant la casserole de temps en temps, jusqu'à ce que les coquilles soient ouvertes.

4. Retirer les palourdes de la casserole à l'aide d'une écumoire, laisser tiédir et jeter celles qui sont restées fermées. Filtrer le jus de cuisson dans un chinois doublé d'une étamine et l'ajouter à la soupe. Décoquiller les palourdes.

5. Ajouter les palourdes à la soupe et réchauffer 2 à 3 minutes sans cesser de remuer. Rectifier l'assaisonnement, répartir dans des bols chauds et servir accompagné de pain frais.

Pour 6 personnes

1 cuil. à café d'huile de tournesol

115 g de petit salé ou de lard maigre non fumé, coupés en dés

1 oignon, finement haché

2 branches de céleri, hachées

4 tomates, pelées, épépinées et hachées

3 pommes de terre, en dés

1 pincée de thym séché

3 cuil. à soupe de persil frais haché

160 ml de jus de tomates

600 ml de bouillon de légumes de base

36 palourdes

160 ml de vin blanc sec

sel et poivre

pain frais, en accompagnement

Soupe de maïs au poulet — États-Unis

① Ôter la peau du poulet, puis détacher la chair des os et la couper en dés. Mettre le safran dans un bol, ajouter un peu d'eau chaude et laisser tremper.

② Chauffer l'huile dans une casserole, ajouter les oignons et le céleri et cuire 5 minutes à feu doux en remuant de temps en temps, jusqu'à ce qu'ils soient tendres. Augmenter le feu, mouiller avec le bouillon et ajouter les grains de poivre et le macis. Porter à ébullition, réduire le feu et laisser mijoter 25 minutes.

③ Augmenter le feu et ajouter le poulet, les nouilles, le maïs, la sauge, le persil et le safran avec son eau de trempage, puis saler et poivrer à volonté. Porter de nouveau à ébullition, réduire le feu et laisser mijoter encore 20 minutes.

④ Retirer la casserole du feu, rectifier l'assaisonnement et répartir dans des bols chauds. Servir immédiatement.

Pour 6 personnes

1 poulet rôti (environ 1,3 kg)

½ cuil. à café de pistils de safran

3 cuil. à soupe d'huile de maïs

2 oignons, finement émincés

3 branches de céleri, émincées

1,8 l de bouillon de légumes de base

8 grains de poivre noir

1 pincée de macis

115 g de nouilles aux œufs

350 g de maïs surgelé

1 pincée de sauge séchée

2 cuil. à soupe de persil plat frais haché

sel et poivre

Ragoût jamaïquain
— Caraïbes

1. Mettre le bœuf, le petit salé et les épinards dans une casserole, ajouter le bouillon et porter à ébullition à feu moyen. Réduire le feu et laisser mijoter 2 heures à 2 h 15, jusqu'à ce que la viande soit tendre. En cas d'utilisation de gombos frais, ébouter les capsules sans les percer, passer les extrémités coupées dans du sel et laisser dégorger 30 minutes dans une passoire, puis rincer dans de l'eau additionnée du jus de citron. Rincer les gombos surgelés dans de l'eau additionnée du jus de citron.

2. Pour les chips, peler les bananes plantain à l'aide d'un couteau tranchant et détailler la chair en fines rondelles à l'aide d'une mandoline. Plonger les rondelles dans une terrine d'eau glacée et laisser tremper 30 minutes. Chauffer l'huile dans une friteuse à 180 à 190 °C, jusqu'à ce qu'un dé de pain y brunisse en 30 secondes. Égoutter les rondelles de bananes et les égoutter sur du papier absorbant. Les saupoudrer de cannelle, les plonger dans l'huile chaude et les faire frire jusqu'à ce qu'elles soient dorées. Retirer de l'huile à l'aide d'une écumoire et les égoutter sur du papier absorbant.

3. Ajouter les gombos, les patates douces, les chayotes, le lait de coco, le piment et les oignons verts dans la casserole avec le bouillon. Saler et poivrer, puis porter à ébullition et laisser mijoter 35 à 40 minutes, jusqu'à ce que tous les légumes soient tendres et que la soupe ait épaissi. Rectifier l'assaisonnement, répartir dans des bols chauds et servir immédiatement, accompagné des chips de bananes plantain.

Pour 6 personnes

225 g de bœuf à braiser, en dés

225 g de petit salé, en dés

225 g d'épinards, côtes dures ôtées, finement hachés

3 l de bouillon de légumes de base

225 g de gombos frais ou surgelés

1 cuil. à soupe de jus de citron

225 g de patates douces, émincées

225 g de chayotes, pelées et finement émincées

1 piment vert, épépiné et émincé

700 ml de lait de coco en boîte

2 oignons verts, finement hachés

sel et poivre

Chips de bananes plantain
2 bananes plantain

eau glacée

cannelle en poudre

huile végétale, pour la friture

Soupe de haricots noirs
— Caraïbes

① Chauffer l'huile dans une grande casserole, ajouter l'oignon, le céleri et l'ail, et cuire 6 à 8 minutes à feu doux en remuant de temps en temps, jusqu'à ce qu'ils soient tendres.

② Augmenter le feu, ajouter les haricots et le bouillon, et porter à ébullition. Réduire le feu, couvrir et laisser mijoter 2 heures à 2 h 15, jusqu'à ce que les haricots soient tendres.

③ Retirer la casserole du feu et laisser tiédir. Transférer la moitié ou la totalité de la soupe dans un robot de cuisine, selon la consistance souhaitée, et réduire en purée.

④ Reverser la préparation mixée dans la casserole et porter au point de frémissement. Si la soupe est trop épaisse, ajouter un peu de bouillon ou d'eau. Incorporer le piment de Cayenne, le jus de citron, le vinaigre, le xérès et les œufs durs, puis saler et poivrer à volonté. Réduire le feu et laisser mijoter 10 minutes sans cesser de remuer.

⑤ Retirer la casserole du feu et répartir la soupe dans des bols chauds. Garnir de feuilles de céleri et servir immédiatement, accompagné de fromage râpé.

Pour 6 personnes

3 cuil. à soupe d'huile de maïs

1 gros oignon, haché

2 branches de céleri, hachées

2 gousses d'ail, hachées

480 g de haricots noirs
ou de haricots cornille,
mis à tremper une nuit
dans de l'eau et égouttés

2,5 l de bouillon de légumes
de base

¾ cuil. à café de piment
de Cayenne

5 cuil. à soupe de jus de citron

2 cuil. à soupe de vinaigre
de vin rouge

2 cuil. à soupe de xérès sec

4 œufs durs, grossièrement
hachés

sel et poivre

feuilles de céleri hachées,
en garniture

fromage râpé,
en accompagnement